D0719106

Gossip Girl – The next generation

Meer, meer, meer

Cecily von Ziegesar

Gossip Girl

The next generation

Meer, meer, meer

Vertaald door Corry van Bree

ARENA

Oorspronkelijke titel: *Gossip Girl the Carlyles 2: You Just Can't Get Enough*

Omslagontwerp: Roald Triebels
Foto omslag: Roger Moenks
Typografie en zetwerk: CeevanWee, Amsterdam
ISBN 978-90-8990-112-5
NUR 285

It is better to be feared than loved, if you cannot be both.
Niccolò Machiavelli

Disclaimer: alle namen van plaatsen, mensen en gelegenheden zijn veranderd of afgekort om de onschuldigen te beschermen. Mij, vooral.

Topics | Gezien | Jullie e-mail | Stel een vraag

Ha mensen!

Een nieuw tijdperk

Nieuwsflits: De vijfdejaars moeten we dit jaar in de gaten houden. Zesdejaars en universiteitsaanvragen? Wie kan het iets schelen? Wie wil er tijd verspillen aan saaie worden-ze-wel-of-worden-ze-niet-aangenomen-speculaties als er zo veel wordt gefeest zonder aan de gevolgen te denken? Nu onze Alice + Olivia-jurken zijn opgeborgen en het vroeger donker wordt, is het tijd om ter zake te komen. Liefdadigheidsbijeenkomsten organiseren, relaties op een hoger peil brengen, gezichtsbeharing afscheren (ja, ik heb het inderdaad tegen een zeker zwemteam), en er is een hele stad om in te spelen. Ga dus naar buiten en zet de boel op stelten. Praat tegen dat lekkere ding met de Riverside Prep-pet. Maak nieuwe vrienden. Zorg misschien zelfs voor wat concurrentie. Geef een wild feest, en maak het nog wilder als het op gang is gekomen. En met wie kun je beter wedijveren dan met de nieuwelingen die New York City stormenderhand veroveren?

New Kid On The Block

De Carlyle-drieling weet in elk geval hoe ze plezier moeten maken. We hebben **A**, blond haar, blauwe ogen, onschuldig uiterlijk. Wie had kunnen denken dat ze de gave heeft om fantastische feesten te geven – zo fantastisch dat ze achter de tralies is beland? Gelukkig had ze de harten van alle vijfdeklassers al veroverd, net als de harten van de Raad van Toezichthouders van Constance Billard. Wat een innemend karakter. Dan hebben we de een meter negentig lange, adonisachtige, Speedo-dragende **O**. Het is verbazingwekkend dat hij nog steeds single is, ondanks de enorme hoeveelheden beschikbare meisjes die hem overal nalopen, van zijn zwemtraining tot de Red Bull-loop in Duane Reade. Spaart hij zichzelf voor een zeker iemand? En weet iemand wie dat kan zijn? Ten slotte hebben we onze kleine **B**, die haar loyaliteit lijkt te hebben verplaatst van een klein zanderig eiland aan de oostkust naar óns kleine eiland. Kun je het haar kwalijk nemen? Maar nu ze de regels op Constance heeft overtreden en een week is geschorst, is het nog maar de vraag of ze mag blijven. Of zal blijken dat haar onconventionele gedrag te veel is voor 10021?

Gezien

J bij de audities voor een beurs van de School of American Ballet. Fantastische *tours jetés*, maar is dat genoeg? **R**, die theedrinkt met zijn moeder, **lady S** in Soho House. **A**, die op weg is naar een harsafspraak bij de Elizabeth Arden Red Door Salon met **S.J.**, **G** en de rest van **J**'s aanhang. Is dat tegenwoordig de manier om een band op te bouwen? Door samen te harsen? De raadselachtige afwezige in het groepje? **J** zelf. Waarom afzien van een harsuitstapje? Is er iemand heel Europees geworden? **O**, in zijn eentje joggend in Hudson River Park. Hij zou na afloop echt moeten rekken. Ik kan helpen!

Jullie e-mail

V: Lieve GG,

Ik heb mijn reis naar Zuid-Amerika als het ware een beetje uitgebreid en heb de eerste twee schoolweken gemist, en nu is iedereen stapelgek geworden! Hebben **B** en **J.P.** echt iets met elkaar? En hoe zit het met **J**? Heeft zij iemand? Wat gebeurt er met onze wereld?

– IkWordGek

A: Lieve I.W.G.,

Een reis uitbreiden tot in het nieuwe schooljaar is zo achterhaald. Maar goed, om je snel bij te kletsen, **B** en **J.P.** leerden elkaar kennen toen liefhebster (van dieren) **B** aanbood om **J.P.**´s honden uit te laten. Nu de hondenuitlaatster na haar bliksemhuwelijk met de tuinier van haar werkgever terug is van haar huwelijksreis, heeft **B** geen werk meer, maar **J.P.** en zij gaan nog steeds met elkaar om. We zullen zien hoe lang ze hun poten... eh, handen van elkaar af kunnen houden. **J** is alleen... op dit moment. Maar... *don´t cry for her, Argentina* (of waar je ook naartoe bent geweest) want ze is heel goed in staat om voor zichzelf op te komen.

– GG

V: Lieve Gossip Girl,

Ik heb nog nooit op deze site geschreven, maar ik ben de assistent van een advocaat en ik werk in een heel belangrijk historisch gebouw. Ik ben helemaal geschokt dat er tijdens een feest dat hier vorige week is gehouden, een bijzonder kostbaar exemplaar van *The Collected Works of William Shakespeare* is gestolen. Als je informatie hebt over hoe dit heeft kunnen gebeuren, zou ik je heel dankbaar zijn.

– Rechtschapen

A: Lieve R,

Shakespeare spreekt toch de taal van de liefde? Misschien heeft iemand het meegenomen om ideeën op te doen. Begin met de vrijgezellen en werk van daaruit verder.

– GG

En dat is het! Ik ga de laatste zomerdagen absorberen met een glas wijn in de daktuin van het Met. Ja, dat is ouderwets, maar hoe kan ik daar weerstand aan bieden nu er zo veel op de museumtrap en in Central Park gebeurt?

Je weet dat je van me houdt,

gossip girl

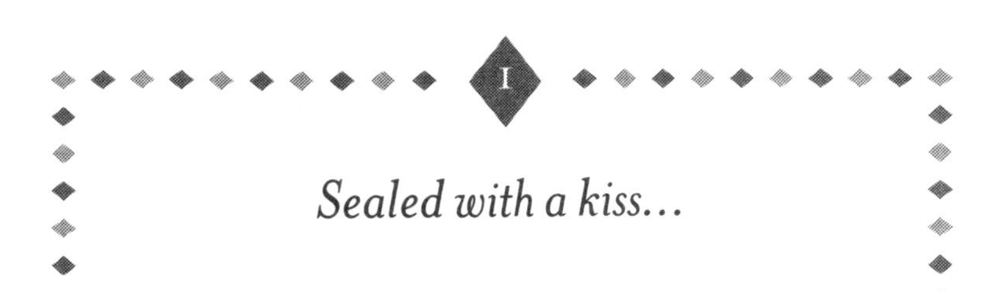

Sealed with a kiss...

'Denk je dat ik mijn beeldhouwwerk aan mevrouw McLean moet geven?' Edie Carlyle gebaarde naar de logge, misvormde tas die over haar schouder hing.

Baby Carlyle keek aarzelend in de jute tas. Er lag een kauwgomroze schaal in, ongetwijfeld een van haar moeders laatste kunstprojecten. Een MTA-stadsbus ronkte langs, waardoor Baby's groene linnen jurk, die ze voor tien dollar bij een kraampje bij Central Park had gekocht, rond haar magere knieën wapperde. Baby haalde haar schouders op.

'Ik wil gewoon niet dat je van school wordt getrapt,' zei Edie ongerust terwijl ze East Ninety-third Street overstaken en naar de Constance Billard School voor Meisjes liepen.

Baby stond formeel nog steeds ingeschreven op de kleine, elitaire school met uniformplicht, waar haar moeder jaren geleden ook op had gezeten. Nadat ze echter was weggebleven bij het verplichte naschoolse vrijwilligerswerk, dat ze had gekregen voor een aantal kleine overtredingen in de Franse les, was ze geschorst. De afgelopen week had ze haar dagen doorgebracht op een bank in Central Park, met chaithee en een boek van Nabokov, terwijl ze wachtte tot Riverside Prep, de school van haar nieuwe vriendje J.P. Cashman, uit was. Daarna brachten ze de midddag door in Central Park, waar ze speelden met zijn drie honden, elkaar boeken voorlazen en lange, onsamenhangende gesprekken over hun jeugd voerden.

Baby beet zenuwachtig op haar onderlip, die ze had ingesmeerd met lippenbalsem met kersensmaak. Stel je voor dat ze echt van school werd gestuurd.

Een week geleden was dat het énige wat ze wilde. Terwijl haar broer Owen en zusje Avery zich onmiddellijk thuis leken te voelen in Manhattan, had Baby, de kleinste en meest onafhankelijke van de Carlyle-drieling, zich gewoon... verloren gevoeld. Ze had vreselijk veel heimwee naar hun bouwvallige huis in Siasconset, Nantucket, en naar haar vriendje Tom Devlin. Daarom had ze gedaan wat op dat moment logisch leek: ze had zichzelf op school expres in de problemen gebracht, in de hoop dat haar moeder zich zou realiseren hoe weinig Constance en New York bij haar pasten. Maar toen ze Tom verraste door plotseling in Nantucket op te duiken en ze zich realiseerde dat hij niet alleen een stevige blower maar ook een stevige bedríéger was, begon ze anders te denken over New York City. Vooral nadat J.P., een jongen die Baby had afgeserveerd als een typische, verwende Upper East Sider, in zijn vaders helikopter naar Nantucket was gevlogen om te vragen of ze met hem mee terugging naar Manhattan.

Dat is nog eens iets anders dan een sms'je.

Baby zuchtte en duwde haar lange, golvende bruine pony van haar hoge voorhoofd. Als ze van school werd gestuurd, wist ze niet wat ze moest doen. Geen enkele andere school in Manhattan zou haar aannemen, behalve misschien Darrow, een kleine school in de Village waar alle leerlingen, van 4 jaar tot 17 jaar, les kregen in hetzelfde klaslokaal. Ze haalde haar neus op bij de gedachte dat ze moest vingerverven met een vijfjarige terwijl ze naar nummers van Joni Mitchell luisterde. Ze was onconventioneel, maar niet zó onconventioneel.

En daar zijn we allemaal dankbaar voor.

Edie duwde de koninklijk blauwe deuren van Constance Billard open, waardoor de zilveren kettingen om haar nek, die haar chakra-energie in balans moesten houden, rinkelend tegen elkaar aan sloegen.

'Wacht.' Edie hield de deur voor haar dochter open en verplaatste de jute tas behendig van haar ene magere arm naar de andere. Ze deed een van haar grote, lelijke, druppelvormige halskettingen af. 'Draag deze, dat zal je geluk brengen,' commandeerde ze terwijl haar blauwe ogen fonkelden.

Baby glimlachte vaag en deed de ketting om. Hij leek op een amoebe die een miljoen keer onder een microscoop was vergroot.

'Deze kant op,' mompelde Baby terwijl ze haar moeder door de lege, beschaafde gangen van Constance leidde. Het was er angstaanjagend stil, omdat de laatste lessen bezig waren.

Edie liep achter haar aan. Haar onmodieuze Birkenstocks sloegen tegen de net geboende marmeren vloer. Ze stopten bij een zware eikenhouten deur waarop DIRECTRICE stond, in intimiderende goudkleurige blokletters.

'Ik herinner me deze plek.' Edie woelde door de warrige bruine haardos van haar dochter. 'Ik heb hier heel wat tijd doorgebracht toen ik op deze school zat.'

Baby knikte. Het was moeilijk om zich haar onconventionele moeder voor te stellen in de stijve, knielange seersucker rokken die een onderdeel waren van het verplichte Constance-uniform. Baby gluurde naar een gedenkplaat aan de muur, waarop de namen van de voormalige klassenvertegenwoordigers gegraveerd stonden. Haar zusje Avery zou er een moord voor doen om op die plaat te komen. Baby was blij dat er geen plaat voor Constance-criminelen was. Ze was ervan overtuigd dat haar naam boven aan de lijst zou staan.

Tenzij haar moeder die eer al had opgeëist natuurlijk.

'Baby Carlyle?' De secretaresse met het vlassige haar keek op, haar ogen tot afkeurende spleetjes geknepen. Ze nam Baby snel op. Baby knikte en glimlachte voorzichtig. Haar hart bonkte in haar keel.

'Ga maar naar binnen. Mevrouw McLean verwacht je.' De secretaresse knipperde met haar ogen en keek toen weer naar haar computer. Ze begon driftig te typen, ongetwijfeld een uitgebreid nieuwsbulletin aan de rest van de school dat Baby Carlyle, die spijbelde bij Frans, niet kwam opdagen bij haar vrijwilligerswerk en Mason Pearson boycotte, terug was.

De dag van het laatste oordeel!

'Aha, fijn dat je er bent.' Mevrouw McLean kwam overeind achter het grote eikenhouten bureau toen Baby en Edie naar binnen schuifelden. Ze droeg een zwart broekpak dat twee maten te klein was. Een knoop halverwege haar colbert hing nog maar met één draad vast, als een babykoalabeer die zich aan een eucalyptusboom vastklampt.

'Ga zitten,' beval ze terwijl ze Baby zowat op het donkerblauwe tweezitsbankje duwde. De fluwelen stof voelde hard aan en schuurde de achterkant van Baby's blote benen.

'Mevrouw McLean, ik ben Baby's moeder, Edie.' Haar moeder pakte de hand van de directrice en schudde hem stevig. 'Wat aardig van u dat u tijd vrijmaakt om ons te ontvangen. Kijk – dit heb ik voor u gemaakt,' zei Edie terwijl ze in haar jute tas zocht. Ze haalde de misvormde kauwgomroze schaal tevoorschijn en zette hem ondersteboven op het bureau van mevrouw McLean. Er zat een kleine bobbel in het midden.

Er stond verbazing op het gezicht van mevrouw McLeans grote, sproetige gezicht te lezen. Ze was waarschijnlijk gewend aan moeders met kinderen die in de problemen zaten die cheques op haar bureau deponeerden, maar geen eigengemaakt, vormeloos aardewerk. 'Bedankt voor... dat, mevrouw Carlyle.'

'O, zeg maar Edie. Ik ben bang dat het helaas niet bij de inrichting past,' realiseerde Edie zich bedroefd, terwijl ze van het kunstwerk naar de rood-wit-blauwe kantoorinrichting keek.

'Eh, dat hindert niet.' Mevrouw McLean leunde naar achteren in haar eikenhouten stoel. 'Laten we beginnen. Goed, ik weet, Báby...' Mevrouw McLean zweeg even met een norse uitdrukking op haar Raggedy Ann-gezicht. De directrice had duidelijk gemaakt dat ze Baby's naam absoluut ongeschikt vond op een school die werd bevolkt door meisjes met namen zoals Beatrice en Madison. Maar het was niet Baby's fout dat haar moeder had gedacht dat ze een tweeling kreeg, en dat ze gewoon de naam Baby op het geboortecertificaat had gezet. Volgens het verhaal was Edie altijd van plan geweest om Baby een officiëlere naam te geven, maar met haar alles-moet-kunnen-houding was ze er gewoon nooit aan toe gekomen. Omdat Baby de jongste van het gezin was en zo tenger was, was de naam als het ware blijven hangen.

'Ik weet dat Baby een, eh, een onconventionele opvoeding heeft gehad,' ging mevrouw McLean verder. 'Wat hoogstwaarschijnlijk heeft bijgedragen aan haar moeizame aanpassing aan Constance tijdens haar eerste week op school. Ik hoopte dat Baby de week van haar schorsing zou gebruiken om na te denken over haar gedrag, terwijl wij een beslissing zouden nemen over haar toekomst, en of die toekomst al dan niet op Constance Billard ligt.' Mevrouw McLean duwde de vormeloze schaal voorzichtig naar de rand van haar bureau. De directrice had een veeg roodbruine lippenstift op haar voortanden, en plotseling voelde Baby een sprankje sympathie voor haar. Misschien voelde ze zich net zo misplaatst op Constance als Baby. 'Dus, Baby, vond je je week afwezigheid productief?'

'Heel erg,' antwoordde Baby terwijl ze in het kantoor rondkeek. Ze wist niet zeker waarom ze zo graag op Constance wilde blijven, maar de afgelopen week was dat het enige waaraan ze had kunnen denken. Hoewel ze Nantucket en de schoonheid van het strand verschrikkelijk miste, lag dat allemaal in het verleden. New York was nu haar thuis.

Ik vraag me af waardoor – of door wíé – ze van mening is veranderd.

'Mevrouw,' voegde Baby eraan toe, waarna ze begon te blozen. Nog even en dan maakte ze een knieval.

Of ze salueert. Ja, sir, mevrouw McLean, sir!

'Goed, ik heb je overplaatsing bekeken en ik heb een beslissing genomen.' Mevrouw McLean sloeg haar armen voor haar enorme borsten over elkaar.

Baby keek er niet naar uit om te smeken of ze terug mocht komen in de wereld van bitcherige meiden met door Oscar Blandi gehighlight haar, Gucci-haarelastiekjes en Montblanc-pennen. Maar ze had het ervoor over. Ze likte aan haar lippen en keek mevrouw McLean strak aan met haar donkere ogen. 'Mevrouw...'

'Baby mag op school blijven,' onderbrak de directrice Edie.

Baby zuchtte van opluchting.

'Maar om te bewijzen dat ze zich aan de strenge regels van Constance kan houden, zal ze vrijwilligerswerk voor Constance moeten doen,' ging mevrouw McLean verder. 'En dit keer echt. Omdat ze zo'n, eh, artistieke achtergrond heeft, heb ik een taak die volgens mij heel geschikt voor haar is...' Mevrouw McLean bukte zich. Haar enorme achterwerk stak in de lucht terwijl ze in een glanzend, metalen kastje rommelde. Toen ze overeind kwam, gaf ze Baby een zwart-wit tijdschrift met een foto van een dode duif op het omslag. RANCUNE stond er in agressieve hoofdletters op.

'Dit is ons door studenten vervaardigde kunsttijdschrift. De bedenker en de redacteur hebben afgelopen schooljaar eindexamen gedaan. Mevrouw McLean kneep haar koe-achtige ogen half dicht. '*Rancune* vereist artistieke gevoeligheid, en ik hoop dat je je voor het blad wilt inzetten,' ging ze verder. Edie klapte opgewonden in haar handen, alsof mevrouw McLean de opdracht aan haar en niet aan haar dochter had gegeven.

Baby pakte het tijdschrift en bladerde langs de pagina's. Ondanks het kritische omslag stond het vol sentimentele gedichten over schaatsen in Rockefeller Center en de geur van bloemen in het voorjaar. Baby probeerde zich voor te stellen dat ze aan het tijdschrift werkte, maar ze kon het niet. Ze was heel anders dan haar gedreven zus, die net was benoemd tot studentenlid van de Raad van Toezichthouders van Constance. Enthousiasme voor school was nooit echt haar ding geweest.

'Ik ben zo blij dat dit allemaal uit de wereld is, en Baby is natuurlijk dankbaar voor de kans,' zei Edie plotseling. 'Maar ik moet nu gaan – ik móét absoluut naar mijn atelier terug.' Ze bukte zich en plantte een kus boven op Baby's hoofd. Baby rook de geur van haar moeders etherische patchouli olie. Ze glimlachte voorzichtig, zodat mevrouw McLean het niet zag. Haar moeders wispelturigheid was zo overdreven dat het bijna een rol had kunnen zijn.

'Natuurlijk.' Mevrouw McLean knikte alsof ze heel goed wist hoe dringend het karakter van Edies kunst was. 'Baby, we zien je morgen, in alle vroegte en met een goed humeur. En ik hoef je er natuurlijk niet aan te herinneren dat je je uniform moet dragen,' voegde ze eraan toe.

'Ja, natuurlijk. Dank u, mevrouw McLean,' zei Baby dankbaar. Ze grijnsde en bleef grijnzen toen ze het kantoor uit liep en de koninklijk blauwe schooldeuren uit holde. Ze leunde tegen het roodstenen gebouw om zichzelf te vermannen, in het besef dat ze maar heel even de tijd had voordat de bel ging en de meisjes in drommen naar buiten stroomden. Hoewel ze er niet enthousiast over was dat ze een verwaarloosd leerlingenblaadje moest opwaarderen, kon ze het niet helpen dat ze het gevoel had dat de kogel haar had gemist. Ja, Constance was een beetje overdreven en zat vol truttige meiden, maar vanaf het moment dat Baby uit Nantucket was weggehaald, had haar leven onstabiel geleken, en nu had ze het gevoel dat alles weer goed zou komen.

'Hallo!'

Baby draaide zich om en zag J.P. op de hoek staan, gekleed in een kakibroek en zijn blauwe Riverside Prep-blazer. Hij had een regenboog-schaafijsje in één hand en zijn BlackBerry in de andere.

Baby vond het fantastisch dat J.P. zo stijf leek, maar dat in werkelijkheid helemaal niet was. Niet als je hem leerde kennen. En nu ze officieel in Upper East Side bleef, was ze van plan om hem heel veel beter te leren kennen.

'Een regenboog-schaafijsje om het te vieren? Is je gesprek goed gegaan?' J.P. duwde het sluike, bruine haar zenuwachtig uit zijn ogen.

'Ik ga nergens heen,' zei Baby triomfantelijk. 'Je kunt tegen de honden zeggen dat ze zich geen zorgen hoeven te maken,' plaagde ze hem.

'Mooi.' J.P. glimlachte. 'Zonder jou zouden ze onmiddellijk weer in hun oude, slechte gewoonten vervallen.' Baby keek onwillekeurig naar J.P.'s voeten. Voordat ze zijn honden was gaan uitlaten, had Nemo een gedragsprobleem gehad. Ze poepte op J.P.'s schoenen. Vandaag droeg J.P. zachtleren mocassins die eruitzagen alsof ze waren gestolen van een indianententoonstelling in het Museum of Natural History, maar Baby wist dat ze waren uitgekozen door een *personal shopper* bij Barneys – zoals voor al J.P.'s kleren gold.

Vuistregel: hoe lelijker de schoenen van een jongen, des te duurder zijn ze.

Baby pakte het schaafijsje, likte eraan en genoot van de sensatie van kou en suiker op haar tong. Ze voelde zich duizelig en opgelucht. Ze wist niet zeker wat haar gelukkiger maakte: dat ze op Constance mocht blijven of dat J.P. zo veel om haar gaf dat hij eerder van school was gegaan om haar te verrassen.

Op dat moment ging de bel, en horden uniformdragende meisjes met glanzende haren stroomden door de koningsblauwe deuren naar buiten. Ze liepen al roddelend over hun dag naar de stoep of stonden in groepjes op de schooltrap. Een paar meisjes staarden naar Baby en J.P. en fluisterden achter hun met Bliss gemanicuurde handen.

Baby zag Jack Laurent, de bitcherige ballerina en J.P.'s ex-vriendinnetje, door de dubbele deuren naar buiten komen. Ze bleef met een kaarsrechte rug staan toen haar groene ogen Baby zagen. Met haar licht sproetige neus hoog in de lucht en haar glanzende, kaarsrechte roodbruine haar leek ze eerder op de catwalk thuis te horen dan op de trap van Constance Billard.

Baby haalde haar schouders op, draaide haar rug naar Jack toe en keek in plaats daarvan naar J.P. Wie was er geïnteresseerd in Jack Laurent? Het enige wat haar iets kon schelen was dat ze een week had doorgebracht met een superleuke jongen die elke dag leuker werd. En ze was van plan om het komende schooljaar precies zo door te brengen.

Impulsief leunde Baby tegen J.P. aan en duwde haar mond op de zijne. Zijn ogen werden groot van verbazing, maar hij kuste haar enthousiast terug. Baby sloeg haar magere armen om hem heen. Zijn lippen smaakten naar eucalyptus. Ze voelde een huivering langs haar ruggengraat gaan, die in haar maag bleef steken toen ze hem weer kuste. Zijn armen om haar heen waren sterk, en zijn mond proefde schoon.

'Bedankt voor het ijsje,' fluisterde Baby toen ze zich eindelijk uit J.P.'s armen losmaakte. Ze voelde nog een huivering langs haar ruggengraat gaan. Waarom had ze dat niet eerder gedaan?

'Laten we hier weggaaan,' fluisterde J.P. hees, terwijl hij haar van de schooltrap trok. Baby pakte zijn hand en hun heupen stootten tegen elkaar toen ze in westelijke richting begonnen te lopen, naar de goudviskleurige zon en het weelderige groen van Central Park.

Misschien is het tijd om de hippiekleren in te wisselen voor een IK HOU VAN NEW YORK-T-shirt?

De J van jaloezie

Jack Laurent had het gevoel dat ze een klap had gekregen en greep de leuning van de trap van Constance met haar bloembladroze nagels vast. Nee, een 'klap' was niet het juiste woord. Ze had het gevoel dat ze van een hoge duikplank in een leeg betonnen zwembad was gegooid. De kus die ze net had gezien werd telkens opnieuw afgespeeld in haar hoofd. Ze kon niet gelóven dat die onconventionele hippieslet daarnet haar vriendje had gekust.

Bedoelt ze niet 'haar ex-vriendje'?

Jack probeerde haar zelfbeheersing terug te krijgen. Ze concentreerde zich op haar ademhaling terwijl ze de Constance-meisjes negeerde die langs haar naar buiten stroomden. *Perfect, perfect, perfect*, herhaalde ze in haar hoofd. Vroeger had dat woord haar altijd geholpen om rustig te worden, maar de laatste tijd werkte het niet zo goed meer. Het lukte haar niet om het gefluister van de tweedeklassers die de trap af renden uit te bannen.

'Ik heb gehoord dat Baby Carlyle er van de week niet was omdat ze tijdens de modeweek in alle shows liep. Marc Jacobs heeft blijkbaar een hippierevival, met haar in de hoofdrol,' fluisterde een tweedeklasser met weerbarstig blond haar tegen haar appelvormige vriendin, terwijl ze de trap af liepen.

Jack keek naar ze met haar katachtige groene ogen en probeerde niet krankzinnig te worden. Ze voelde zich als Blanche

DuBois in *A Streetcar Named Desire*, net voordat ze wordt afgevoerd naar het gekkenhuis.

Ze keek ongeduldig op haar horloge. Waar waren haar vriendinnen, verdomme? En wat zag haar ex-vriendje J.P. Cashman, magnaat-in-opleiding, in een meisje uit het onbetekenende Nantucket, dat eruitzag alsof ze op Woodstock 3 wachtte. Het was belachelijk.

Jacks probleem was echter dat alles in haar leven de laatste tijd belachelijk was. Vanaf het moment dat haar rijke vader, de voormalige ambassadeur in Frankrijk, haar moeder en haar had afgesneden van zijn zwarte AmEx – en hen had gedwongen om te verhuizen naar de bedompte zolder van hun vroegere Upper East Side-woning – was niets in Jacks leven volgens plan verlopen. Een beeldschoon gezinnetje, met inbegrip van een vijfjarig meisje met de naam Satchel, was in hun huis komen wonen. Jack kon in haar slaapkamer horen hoe het gezin cocktailparty's gaf, lachte en met hun zilver rinkelde, wat haar het gevoel gaf dat ze die krankzinnige vrouw in Jane Eyre was, die naar de zolder was verbannen. Het was allemaal zó deprimerend. Toen ze haar vader had gesmeekt om op zijn beslissing terug te komen, had ze alleen een preek over verantwoordelijkheid gekregen. Tot het moment dat Jack kon bewijzen dat ze niet net zo zou eindigen als haar overdreven dramatische Franse moeder, een kettingrokende, theatrale shopaholic, wilde Charles Laurent niets voor haar betalen, behalve haar school.

Maar goed, Jack had afgelopen weekend met veel vleierij hopelijk een beurs voor de School of America Ballet bemachtigd, en ze had net superschattige Miu Miu-schoentjes gekocht met een van de cadeaubonnen van Barneys die ze in haar Hermès-portemonnee had gevonden en die ze op haar zestiende verjaardag had gekregen. Ze keek naar beneden en zag met een glimlach hoe geweldig de schoenen stonden aan haar blote, door ballet gevormde benen. De tiendollar-pedicurezaak in

Third was veel minder ranzig dan ze had gedacht. Haar vader wilde dus spelletjes spelen? Dan werd ze gewoon een enorm succes en ging ze haar eigen geld verdienen. Daarna zou ze haar memoires schrijven, waarin ze alles vertelde, een danskamp stichten voor meisjes die minder bevoorrecht waren dan zij en bij Oprah op de bank verschijnen. De beroemde talkshowhost zou alleen maar kunnen huilen als ze Jacks verhaal hoorde, en haar vader zou haar dolgraag geld willen geven.

Dat klinkt als een plan!

Jack zuchtte ongeduldig en trok haar lange roodbruine haar over haar schouder om de punten te controleren. Ze moest absoluut worden bijgepunt door Raoul, haar favoriete kapper in de John Barrett Salon, maar dat was helaas uitgesloten. Ze deed haar haar in een gladde knot en maakte hem vast met een Sephora-haarklem. Ze háátte het om te wachten. Als je tijd overhad ging je je overal druk om maken. Bijvoorbeeld waarom haar vriendinnen verdomme dachten dat het geen probleem was om haar te laten wachten? Ze haalde een pakje Merits uit haar grote, roestkleurige Givenchy-schooltas, een blijvende herinnering aan het meisje dat ze ooit was geweest en de dingen die ze vroeger zo vanzelfsprekend had gevonden. Ze trok zich er niets van aan dat roken op het schoolterrein formeel verboden was en een reden was voor disciplinaire maatregelen en stak een sigaret op met haar gegraveerde Tiffany-aansteker. Tenslotte had hun lesbische directrice, mevrouw McLean, Baby terug laten komen nadat ze bijna van school was getrapt. Jack dacht niet dat ze problemen zou krijgen voor iets zo kleins als roken.

'Mag je hier roken?'

Jack hoorde een irritant vrolijke stem achter zich. Ze draaide zich om en zag Avery Carlyle, die klonk alsof ze écht nieuwsgierig was naar de regels van Constance.

'Hallo, Avery,' antwoordde Jack quasi-vriendelijk, hoewel ze wilde dat ze rook in Avery's gezicht kon blazen. Avery was de enige op Constance die Jacks financiële situatie kende en daarom was ze Jack min of meer de baas. Jack had geprobeerd om Avery kapot te maken en haar poging om studentenlid van de Raad van Toezichthouders te dwarsbomen door stiekem de politie te bellen tijdens een uit de hand gelopen feest dat Avery een week geleden in het herenhuis van haar oma had gegeven. Maar toen de politie een eind aan Avery's feest had gemaakt en de gastvrouw had gearresteerd, had iedereen haar behandeld als een rockster, en was ze zelfs in de Raad van Toezichthouders gekozen. Niet dat Jack die positie echt had gewild, maar het deed pijn dat ze niet was gekozen door haar klasgenootjes. Misschien had haar vader dan iets sneller zijn chequeboek voor haar geopend.

'Hallo.' Avery glimlachte en duwde haar dikke, blonde haar zonder gespleten punten onder een extrabrede leren Coachhaarband. Ze leek ermee op Alice in dat verdomde Wonderland.

Jack staarde vol ongeloof naar Sarah Jane Jenson, Jiffy Bennett en Genevieve Coursy – háár vriendinnen – die het gebouw uit kwamen en onmiddellijk rond Avery cirkelden, als toeristen op een regenachtige dag in Fifth Avenue rond de gids met paraplu. Jack staarde naar ze. De afgelopen week hadden haar vriendinnen Avery betrokken bij alles wat ze deden, en hoewel Jack niet uit was, was Avery absoluut ín.

'Stella McCartney heeft een monsterverkoop in de stad. Hebben jullie zin om daarnaartoe te gaan?' Avery deed een stap naar achteren om Jack in de kring te betrekken en hield haar hoofd verwachtingsvol schuin.

'Mij best.' Genevieve haalde haar schouders op terwijl ze haar hand in Jacks tas duwde, het pakje Merits tevoorschijn haalde en er een sigaret uit pakte.

'Wil jij er een?' Ze hield het pakje voor Avery terwijl ze Jack nauwelijks zag staan.

Avery schudde haar hoofd en glimlachte. 'Nee, dank je. Ik rook niet. Ga jij ook mee?' vroeg Avery hoopvol aan Jack. Haar blauwe ogen waren wijd opengesperd en vriendelijk, waardoor Jack zich de ongelofelijke bitch voelde die ze was. Het was alsof Avery de nieuwe en verbeterde vriendin was voor Genevieve, Jiffy en Sarah Jane, helemaal opgepoetst en idealistisch.

En carcinogeenvrij?

Jack vocht weer tegen de neiging om rook in Avery's zelfingenomen gezicht te blazen. Tenslotte was Avery helemaal niet zo onschuldig geweest op haar feest. Nadat ze naar het politiebureau was gesleept, was ze in een ontnuchteringscel gegooid, tot haar broer Owen haar was komen redden. Jack rukte het pakje Merits opstandig uit Genevieves handen en stopte het terug in haar tas. Nog maar twee weken geleden waren ze het er allemaal over eens geweest dat Avery Carlyle een enorme loser was.

'Goed, ik ga mee.' Jack haalde haar schouders op en zuchtte diep, alsof het een enorme opoffering voor haar was om naar een monsterverkoop te gaan. Ze kon het zich natuurlijk helemaal niet veroorloven, maar ze wilde Avery niet zonder toezicht alleen laten met haar vriendinnen.

'Fantastisch.' Avery glimlachte en stak haar hand op om een taxi aan te houden. Onmiddellijk stopte er een met gierende remmen langs de trottoirrand. Avery trok de deur open en de meiden schoven giechelend naast haar. Het was een taxi van normale afmetingen, met plek voor drie mensen op de achterbank, maar geen enkele taxichauffeur zei nee tegen vijf schattige meisjes in het uniform van een particuliere school die op elkaars schoot wilden zitten.

Jack zuchtte en schreed naar de voorkant van de taxi. Het was de ultieme vernedering om op de passagiersstoel te moeten zitten, naast de taxichauffeur, alsof ze vrienden of zo waren. Jack dacht verlangend terug naar de tijd waarin ze een glanzende zwarte Lincoln Town Car tot haar beschikking had om haar van balletles naar school te brengen. Het leek allemaal zo lang geleden.

Op dat moment barstte Avery's mobiel los in de eerste tonen van 'Material Girl'. Ouderwetse jarentachtig-Madonna? Meende ze dat serieus? Jack haalde haar neus op en keek naar achteren om een gezicht te trekken naar Genevieve, maar die sms'te druk op haar Treo terwijl Jiffy en Sarah Jane over haar schouder meekeken. Niemand had Jack zelfs maar gevráágd hoe haar dag was geweest.

Avery haalde haar mobiel uit haar tas en keek naar de display. Ze herkende het nummer niet, wat nogal opwindend was. Ze kreeg telefoontjes van mensen die ze niet eens kende! Na een onzekere eerste week leek het plotseling alsof íédereen met haar wilde omgaan. Ze voelde zich high, alsof er champagnebubbels door haar aderen stroomden. Avery klapte haar telefoon open en nam opgewonden op. 'Hallo?'

'Avery Carlyle?' Ze hoorde een onbekende, krakende oudevrouwenstem.

'Ja?' antwoordde Avery wantrouwend.

'Met Muffy St. Clair.'

Avery pijnigde haar hersenen, en herinnerde zich ineens de vriendelijke oude vrouw in de Tavern on the Green die had aangekondigd dat ze studentenlid van de Raad van Toezichthouders was geworden. Avery ging rechtop zitten en streek een onzichtbare kreukel in haar Constance-uniform glad.

'Hoe is het met je, Muffy?' vroeg Avery met haar liefste, professioneelste stem. Jiffy giechelde toen ze de naam Muffy hoorde. Jiffy was wel de laatste die mocht lachen, dacht Avery. Muffy was een ouderwetse en érg New Yorkse naam. Ze keek Jiffy afkeurend aan en richtte haar volle aandacht daarna weer op het telefoongesprek. Dit was belangrijk!

'We hebben een vergadering in het Pierre om over Constance te praten. Kun je erbij zijn? Morgen om vier uur,' brulde Muffy in haar mobieltje. Avery moest het bij haar oor vandaan houden. Muffy was duidelijk van de generatie vrouwen die mobieltjes niet vertrouwden en dachten dat ze extra hard moest praten om verstaan te worden. Haar oma was net zo geweest. Als Avery het raam van de taxi naar beneden draaide, kon ze Muffy waarschijnlijk door Fifth Avenue horen schreeuwen.

'Natuurlijk!' piepte Avery. 'Ik kan niet wachten!' Ze hing snel op. 'Constance-gedoe.' Ze haalde haar schouders verontschuldigend op.

'Leuk.' Sarah Jane rolde met haar ogen en haalde een *Tatler* uit haar tas. Sarah Janes moeder was de uitgever van *Bella*, een belangrijk modetijdschrift, en Sarah Jane, die vastbesloten was om in haar moeders lakleren Manolo-voetstappen te volgen, las altijd Engelse tijdschriften en klaagde over de Amerikaanse media.

Avery leunde tevreden achterover, ook al bleven ze optrekken en remmen in het middagverkeer van Fifth Avenue en werd ze meestal behoorlijk wagenziek in taxi's. Ze hoorde Jack op de passagiersstoel zuchten en realiseerde zich dat ze de laatste tijd nogal stil was. Kwam dat misschien door haar ex-vriendje? Het wás natuurlijk nogal vreemd dat Baby en hij zo veel met elkaar omgingen. Ze vroeg zich af hoeveel Jack daarvanaf wist.

Te veel.

Avery stak haar hand uit en tikte op Jacks schouder.

'Is alles in orde?' fluisterde ze terwijl ze met haar hoofd naar voren leunde. De taxi rook naar wierook en de chauffeur keek geïrriteerd. Het was misschien een leuke aanblik om vijf meisjes van een particuliere school in je taxi te hebben, maar ze waren niet bepaald stil.

Zou je willen dat het anders was?

'Perfect,' antwoordde Jack kortaf. De taxi stond muurvast in het middagverkeer voor het Met. Ze staarde uit het raam naar de mensenmassa op de trap. Ze kon alleen nog maar denken aan J.P.'s lippen op Baby's brutale mond. Plotseling had ze het gevoel dat ze moest overgeven door de intense wierookgeur in de taxi.

'Eigenlijk moet ik ervandoor,' zei ze zonder verdere uitleg. Ze sprong uit de taxi op het moment dat het licht op groen sprong.

'Je bent hartstikke gek!' riep de taxichauffeur naar haar terwijl hij op zijn claxon drukte. Jack haalde haar schouders op en strompelde naar de trap van het Met. Haar schoenen zagen er mooi uit, maar ze waren een maat te klein en martelden haar voeten. Shit. 'Shitterdeshit shit shit,' fluisterde ze. Plotseling herinnerde ze het zich weer. *Perfect.*

'Ik mag foto nemen, nee?' zei een verlopen knul in een limoengroen overhemd en een strakke zwarte broek tegen haar. Hij zag eruit alsof hij net uit een van die lelijke rode dubbeldekker-toeristenbussen was gesprongen.

'Nee.' Jack keek hem op haar hoede aan. Hij praatte waarschijnlijk expres gebroken en wilde natuurlijk dat zíj een foto van hém maakte terwijl hij suffig op de trap van het Met poseerde. Nee, dank je wel. Ze had belangrijkere dingen te doen.

Zoals Merits roken en medelijden met zichzelf hebben?

'Maar jij bent model, nee? Heel mooi! Alsjeblieft mag ik foto van je maken?' Hij liet zich in een smekend gebaar op één knie zakken.

Oké, dat veranderde de zaak. Jack knikte koninklijk en rechtte haar schouders, hield haar kin omhoog en poseerde voor de camera. Misschien wilde J.P. haar niet meer kussen, en misschien had Avery Carlyle haar vriendinnen, haar klasgenootjes en min of meer haar leven gestolen, maar ze was nog steeds jong en mooi en in elk geval was er íémand verstandig genoeg om haar te waarderen.

O, wat zijn de hoogmoedigen diep gevallen.

3

Peptalk in de kleedkamer

Op maandag na school ving Rhys Sterling een glimp van zichzelf op in de beslagen spiegel van de kleedkamer van het Y in Ninety-second Street. Hij raakte zijn bijna volle zwarte baard aan. Die verzachtte zijn hoekige kaaklijn en zorgde ervoor dat hij een beetje op Johnny Depp uit *Pirates of the Caribbean* leek.

Met de nadruk op 'een beetje'.

Rhys zuchtte boos terwijl hij een koningsblauwe handdoek netjes rond zijn slanke heupen bond. Hij wilde dat hij twee weken in de tijd kon teruggaan, net voordat de school begon, toen hij verkering had met Kelsey Talmadge, die de onbetwiste sterzwemmer in het team van St. Jude was en zo ongeveer alles had wat hij wilde. Kelsey en hij kenden elkaar al sinds de crèche en hadden verkering met elkaar sinds het begin van de derde klas. Alles aan haar – haar puppyachtige enthousiasme voor alles, van een straatkraam met koffie tot een premièrevoorstelling in het Met, haar absolute gebrek aan gemaaktheid, zelfs haar appelshampoo – maakte Rhys' leven een stukje groter, een stukje helderder, een stukje béter. Ze hadden de zomer apart doorgebracht, maar Rhys had gedacht dat ze elkaar in de herfst zouden herontdekken, en hij had zelfs een superromantische avond gepland waarop ze hun maagdelijkheid aan elkaar zouden verliezen. Het was niet helemaal volgens plan gegaan.

Eh, dat is nog eens een understatement.

Op de eerste schooldag had Kelsey hun verkering uitgemaakt

en verteld dat er iemand anders was. Om Rhys op te vrolijken hadden alle jongens van het zwemteam een kuisheidseed gezworen, en beloofd dat niemand zich zou scheren of een meisje zou versieren voordat Rhys gescoord had. Wat niet meer leek te gebeuren, vooral niet met zijn nieuwe *Into the Wild*-uiterlijk.

Hé, er zijn meisjes die graag gevaarlijk leven.

'Je ziet er goed uit, man!'

Rhys draaide zich om en staarde naar Hugh Moore, een gespierde vijfdejaars. Hugh duwde zijn natte goudbruine haar uit zijn ogen. 'En, wanneer gaat het gebeuren? Misschien kun je een van de vrouwtjes lenen die Owen de hele tijd achtervolgen. Hij is net een chinchilla of hoe die stomme dieren ook heten die elkaar volgen tot ze van een rots storten.' Hugh nam een flinke slok roze Gatorade en boerde luid, met een zelfingenomen uitdrukking op zijn gezicht toen het geluid tegen de met schimmel bedekte muren echode.

'Lemmings, geen chinchilla's,' mompelde Rhys terwijl hij naar de rij gedeukte metalen kluisjes liep. Aan de andere kant van de kleedkamer hielden drie vijfdejaars Chadwick Jenkins, een angstige derdejaars, in een houdgreep op de grond en smeerden een dikke, bruine brij uit een grote, groene tube op zijn borstkas.

'Het is haarvoedsel, *dude*! Man, als dit er niet voor zorgt dat je borsthaar gaat groeien, weten we gewoon dat je een meisje bent,' zei een van de jongens terwijl ze de crème op Chadwicks magere lichaam smeerden.

Rhys opende zwijgend zijn kluisje, knikte kort naar Owen Carlyle, die een stuk verderop stond, en trok een sweatshirt en een sportbroek aan. Het was vreemd dat Owen de laatste tijd net zo gedeprimeerd en stil leek als Rhys. Rhys kon zich niet voorstellen wat zijn probleem was. De meisjes struikelden over zichzelf om met hem te mogen praten. Zelfs vandaag had er een delegatie meisjes van L'École de hele training op de tribune van het zwembad gevolgd en elke keer gegiecheld als Owen een keerpunt maakte. Intussen was Rhys omringd door St. Jude-zwemmers zoals Hugh, die luidruchtig en grof en harig waren, en die... Kélsey niet waren.

'Luister, mannen!' Coach Siegel beende de kleedkamer binnen en blies gebiedend op zijn metalen fluitje. Hij ging in het midden van de ruimte staan, met zijn onbehaarde armen over elkaar geslagen voor zijn witte STANFORD ZWEMMEN-T-shirt, alsof hij poseerde voor een dubbele pagina in *GQ*.

'Proberen jullie Chadwicks haar te laten groeien? Dat doet me denken aan het ontgroenen bij de Cardinals!' De coach was een paar jaar geleden afgestudeerd aan Stanford en praatte daarover zodra hij de kans had. Zijn mondwaterblauwe ogen werden wazig door de fijne herinneringen. 'Kom in mijn kantoor zodra jullie aangekleed zijn, mannen,' zei hij terwijl hij luidruchtig in zijn handen klapte.

De zwemmers verdrongen zich in het vochtige, geïmproviseerde kantoor. Het rook er naar zweetvoeten en chloor, vermengd met de scherpe geur van Polo Double Black – het karakteristieke luchtje van de coach. Hij douchte zichzelf erin voordat hij de training verliet en ging daarna op zoek naar een paar plezierige uurtjes. De coach was een beruchte versierder, en het enige waar hij meer plezier in had dan zijn zwemmers vertellen over zijn veroveringen, was luisteren naar verhalen over hun veroveringen en slecht advies geven.

'Het is weer zover.' De coach wreef opgewekt in zijn handen. 'De geldinzamelingsactie en zwemmersveiling van het zwemteam van St. Jude. Iedereen wordt geveild, dus ik hoop dat jullie vriendinnetjes zo gek zijn om te laten zien hoeveel ze van jullie houden.' Hij keek geamuseerd naar de behaarde gezichten die hem omringden. 'Dus, wie van jullie heeft een vriendin? Is er hier iemand single?'

Rhys' maag maakte een duikvlucht. Hij keek om zich heen

terwijl hij zich afvroeg of hij door de nooduitgang kon verdwijnen zonder dat iemand het zag. Hij was de zwemmersveiling die elk jaar plaatsvond helemaal vergeten. Officieel was de veiling bedoeld om geld op te halen voor wat extra oefentijd in het Y, maar in werkelijkheid was het gewoon een groot, informeel schoolfeest en een excuus voor sletterige L'École-meisjes om St. Jude-jongens aan de haak te slaan en voor de ouders om op te scheppen over zichzelf en hun perfecte kinderen.

Zie je? Iedereen profiteert van liefdadigheidsacties!

Vanaf de derde, toen hij verkering met Kelsey kreeg, had Rhys een vaste bieder gehad. Het was altijd zo schattig om te zien hoe Kelsey verlegen haar bordje voor hem omhoogstak, terwijl de single jongens soms achterbleven als vee – maar dan in splinternieuwe Armani-smokings.

'Kom op, mannen. De vrijgezellen zijn altijd het verrassingselement,' drong de coach aan, die duidelijk wilde maken dat hij óók kon worden geveild.

'Ik ben single!' Chadwick, die waarschijnlijk minder dan vijftig kilo woog, kwam bedekt met haargroeimiddel overeind en stak zijn broodmagere arm de lucht in.

'Oh-ké.' Coach keek naar het plafond alsof hij goddelijke hulp zocht. 'Dat levert dan één dollar op. Van je moeder,' grinnikte hij terwijl hij naar het team keek, in de hoop dat ze zouden lachen om zijn grapje. Rhys verstijfde. Hij kreeg een afgrijselijk beeld in zijn hoofd. Stel je voor dat zíjn moeder de enige persoon was die dit jaar op hem bood? Lady Sterling was de gastvrouw van de immens populaire middagtalkshow *Thee met lady Sterling*, een allegaartje van manieren, etiquette en societyroddels. Met het geluk dat hij tegenwoordig had, filmde ze de hele veiling waarschijnlijk voor haar show.

'Wie nog meer?' De coach taxeerde de jongens, van buldog Ken Williams tot hobbit Ian McDaniel, en grijnsde. 'Hebben we nog meer vrijgezellen? Kom op, heren, ik weet dat jullie op vrijdagavond altijd met jezelf spelen. Dit is jullie kans,' drong hij aan.

'Rhys,' schreeuwde Hugh Moore. 'Hij heeft een vrouwtje nodig. Geloof me.'

De ogen van de coach begonnen te stralen. 'Is Rhys Sterling single? Goed, Rhys, jij brengt de poen binnen en krijgt de vrouwtjes. Reken maar dat ik jaloers op je ben.' De coach knipoogde. 'En Carlyle? Zijn er vrouwen in jouw leven?'

'Nee.' Owen zuchtte. Gelukkig, dacht hij. Voor de eerste keer in zijn leven bleef Owen Carlyle uit de buurt van de vrouwen. Hij had afgelopen zomer een meisje ontmoet tijdens een uit de hand gelopen feestje in Nantucket, voordat hij naar New York was verhuisd. Ze hadden een hartstochtelijke avond op het strand doorgebracht, waarbij ze allebei hun maagdelijkheid waren kwijtgeraakt. Ze hadden elkaar zelfs niet verteld hoe ze heetten, wat niet eens goedkoop had geleken. Echt niet.

Echt niet?

In plaats daarvan was het bijna romantisch geweest, alsof ze de enige mensen op aarde waren, niet gebonden door maatschappelijke regels, alleen door het verlangen naar elkaar.

Iemand denkt hier duidelijk heel vaak aan.

De volgende ochtend had ze hem haar Tiffany-armband gegeven, waarin de letters KAT waren gegraveerd. Owen had aangenomen dat ze zo heette en had de rest van de zomer over haar gefantaseerd. Na zijn eerste dag op St. Jude was hij haar tegen het lijf gelopen – toen ze naar Rhys toe liep. Het bleek dat zijn Kat in werkelijkheid Kelsey Addison Talmadge was, Rhys' vriendinnetje. Meteen nadat ze Owen had gezien, had Kat – of Kelsey, het was nog steeds verwarrend – het uitgemaakt met Rhys. Ze was naar Owens appartement gekomen, mooier en stralender dan ooit, om hem te vertellen dat ze nu samen konden zijn. Ze hadden elkaar gezoend en waren bijna een stel geweest, tot Owen zich realiseerde dat hij zich niet als een klootzak tegenover zijn zwemmaatje kon gedragen. Hij had haar verteld dat het van zijn kant alleen een onenightstand was geweest en dat hij niets voor haar voelde. Nu wilde Kat nooit meer met hem praten en Owen kon alleen nog maar aan haar denken.

Maak je geen zorgen, niemand begrijpt wat er echt aan de hand is.

'Geweldig! Goed, heren, jullie krijgen de uitnodigingen binnenkort via de post, dus hou je brievenbus in de gaten. En zorg dat je er klaar voor bent om gevild te worden!'

Bedoelt hij niet 'geveild'?

De coach blies op zijn fluitje, waarmee hij signaleerde dat de zwemmers konden gaan. Een voor een slenterden de jongens het kantoor uit naar de kleedkamer. Sommigen stopten even voor de beslagen spiegels om kritisch naar hun zachte baarden en snorren te kijken. Rhys liet zich op een krakende, houten bank vallen. Hij moest even alleen zijn. Hij kon alleen nog maar denken aan de liefdadigheidsactie van het zwemteam van vorig jaar, in de danszaal van het Plaza. Kelsey had een prachtige, groene, organza baljurk gedragen en hij had haar op de dansvloer rondgedraaid. Ze waren zo gelukkig geweest en... Er rolde een traan uit zijn ooghoek, die op de natte vloertegels uiteenspatte.

'Húíl je?' vroeg Hugh terwijl hij langsliep met zijn zwemtas over zijn schouder. Hugh was een eeuwige vrijgezel en had de uitgebluste routine van een vrijgezel al aangenomen, compleet met het kastanjebruine smokingjasje dat hij droeg op de feesten die hij in het Park Avenue-penthouse van zijn ouders organiseerde.

'Het is alleen chloor,' loog Rhys, terwijl hij ruw met de rug van zijn hand in zijn bruine ogen wreef. Het was één ding om een behaarde loser te zijn, maar een behaarde, húílende loser?

Dit seizoen bij NBC: *De grootste behaarde huilende loser.*

'Nee, het is geen chloor.' Hugh bleef staan en schatte de situatie in, waarna hij zich naast Rhys op de bank liet vallen. 'Je bent geobsedeerd door Kelsey,' zei hij, alsof hij net een bijzonder ingewikkeld wiskundevraagstuk had opgelost.

Rhys zweeg. Dat was duidelijk – waarom zou hij verdomme net doen alsof?

'Dude, je voelt je rot. Je bent al weken neerslachtig. Je zwemt niet goed. Dat is niet kwaad bedoeld.' Hugh legde voorzichtig zijn hand op Rhys' schouder alsof zijn opbeurende praatje echt zou helpen. 'Je moet haar terugwinnen.' Hugh knikte ernstig.

'Inderdaad!' schreeuwde Ken Williams tussen twee happen van een Snickers-energiereep door. Zijn misvormde tanden waren bedekt met chocolade en de vlekken regenden op Rhys' sweatshirt.

Rhys keek verdrietig van Hugh naar Ken. Kelsey terugwinnen? Ja, natuurlijk. Misschien moest hij het gewoon opgeven, een miljoen calorieën eten en een dikke, behaarde ex-zwemmer worden. Hij kon uit de stad wegtrekken, in een hut in de bossen gaan leven en jaks fokken. Hij zou zijn favoriete osetra-kaviaar en zeezouttoffees elke dag door Dean & DeLuca laten bezorgen, en hij zou nooit meer aan meisjes hoeven te denken.

Heel verleidelijk.

'Bedankt, jongens.' Rhys kwam overeind en maakte zich klaar om te vertrekken zonder op Owen te wachten. Als hij moest toekijken hoe de meisjes hem belaagden, was dat gewoon nóg een herinnering aan zijn treurige vrijgezellenbestaan.

'Wacht!' Ken trok hardnekkig aan Rhys' T-shirt en Rhys bleef staan en probeerde het opborrelende gevoel van irritatie te onderdrukken. 'Ik zal je iets vertellen. Toen mijn vriendin Stephanie het uitmaakte, bleek ze gewoon te spelen dat ze moeilijk te krijgen was.'

Rhys rolde met zijn ogen. Ken Williams enige vriendin was een meisje dat hij afgelopen zomer tijdens een kamp voor dikkerds in Massachusetts had ontmoet. Als Rhys nog een keer moest horen hoe Ken haar had teruggekregen door de eetzaal te plunderen en de hele kampvoorraad vetvrije brownies voor haar te stelen, ging hij vloeken.

'Ik weet het,' zei Rhys kortaf. De steun van de jongens was lief en zo, maar hij dacht écht niet dat ze hem konden helpen.

'Nee, echt, man, je moet proberen haar terug te krijgen, anders loop je het gevaar dat Jenkins je probeert te versieren,' riep Hugh. Chadwick, die zijn naam hoorde, holde bij de groep vandaan naar een veilige plek, nog steeds in zijn Speedo. 'Ik bedoel, je ziet er goed uit, je bent slim, je hebt het hele zaakje.' Rhys bloosde en draaide zich weer om. 'Niet dát zaakje.' Hugh lachte. 'Maar goed, misschien voelt ze zich minderwaardig.'

'Wat?' Rhys twijfelde. Hij kon zich niet voorstellen dat Kelsey, die een fantastische schilderes was en schilderijen had gemaakt die in professionele galerieën in Manhattan hadden gehangen, zich ergens minderwaardig over zou voelen.

'Ja.' Hugh knikte overtuigd. 'Het is een soort projectie. Meiden zijn altijd bezig met die rare psychologische shit.'

Iemand heeft te vaak naar dr. Phil gekeken.

Rhys keek naar de jongens, die het gesprek allemaal hadden gevolgd. Ze knikten. Plotseling begon Chadwick met zijn altstem die klonk als een koorknaap in St. Patrick's Cathedral 'Rhys, Rhys, Rhys' te scanderen. Een voor een sloten de jongens zich bij hem aan, tot de coach uit zijn kantoor kwam en zwijgend maar waarderend knikte. Rhys stond op van de wankele bank en knikte naar ze. Ze geloofden allemaal in hem. Hij moest gewoon in zichzelf geloven.

'Ik krijg haar terug!' verkondigde hij zelfverzekerd. Hij zag een meer dan tachtigjarige oude vent voor zich, in een lubberende Speedo, die vroeg aanwezig was voor het vrije zwemuur in het Y, en kromp in elkaar. Hij kon zijn jeugd niet gewoon voorbij laten gaan!

'Gaaf! Morgen hebben we een scheerfeestje!' kraaide Hugh.

Rhys keek hem dreigend aan. Konden ze hun haar-laten-groei-en-tot-Rhys-scoort-project niet gewoon laten voor wat het was?
Hugh haalde zijn schouders op. 'Je moet haar terugkrijgen en iets dóén, man.'

De jongens liepen een voor een weg, nadat ze Rhys een high-five hadden gegeven. Ze leken gegroeid, nu ze wisten dat hun leider terug was in het spel.

'Hé.' Rhys naderde de rij kluisjes, waar Owen zwijgend zijn zwemhanddoek strak oprolde.

'Hé,' antwoordde Owen stijfjes. Natuurlijk had hij Kat –Kelsey –verteld dat het niets tussen hen zou worden, zodat ze terug zou gaan naar Rhys en zijn wereld weer in orde zou zijn. Maar toen er een week voorbij was gegaan en er niets was gebeurd, had hij zich... nou ja, ópgelucht gevoeld. Het idee dat Rhys ging proberen haar terug te krijgen deed Owen pijn op een plek die verdacht dicht bij zijn hart lag.

'Ik heb je daarnet niet gezien. Denk je dat ik het moet doen?'

Owen nam het gefronste voorhoofd van zijn vriend in zich op. Rhys had Kelsey nodig. Dat was duidelijk. Hij knikte.

'Natuurlijk, man, zorg ervoor dat je haar terugkrijgt.' Hij perste zijn handdoek tot een steeds kleinere rol.

'En, ben je opgewonden over de veiling? Er zullen genoeg meiden op jou bieden,' begon Rhys.

'Neuh.' Owen haalde zijn schouders op en ritste zijn tas dicht. 'Ik hou het even voor gezien. Ik wil me op het zwemmen concentreren. Meisjes maken me langzaam.'

Rhys knikte. Er leek iets mis te zijn met zijn vriend, maar hij kon er niet achter komen wat het was. Oppervlakkig gezien was alles oké met Owen, en zijn zwemtijden waren fantastisch. Maar hij leek de laatste tijd zichzelf niet.

'Goed dan. Later...' zei Rhys onzeker tegen Owens verdwijnende rug. Was er iets wat hij niet wist?

En wil hij dat echt weten?

Ze is er al een van een drieling, maar B heeft misschien een tweelingziel gevonden...

'Wat kan ik voor je doen, baby?' vroeg de vriendelijke witharige barman zodra Baby op dinsdag na school de deur opendeed van een onopvallende bar in Upper West Side. Het was overal hetzelfde. Omdat ze zo klein was, noemden de mensen haar vaak 'baby', wat nogal pijnlijk was als ze uiteindelijk ontdekten dat ze echt zo heette. Het irriteerde haar normaal gesproken, maar de barman leek op een magere, Europese versie van de Kerstman, en hij werkte waarschijnlijk al minstens dertig jaar in deze bar. In hetzelfde overhemd, realiseerde Baby zich. De witte stof was bezaaid met vlekken als sterrenbeelden in het planetarium.

'Eh, een whisky-cola.' Baby knikte autoritair. Ze speelde met een van de bierviltjes en vouwde hem in steeds kleinere stukjes.

'Hoi!' Sydney Miller kloste naar de bar en ging zitten. Ze droeg kniehoge Doc Martens-veterlaarzen met enorme plateauzolen, die haar bijna een meter tachtig lang maakten, een zwart kanten rokje en een zwart hemdje waarop IK SLA OP MIJN EIGEN KONT stond. Met haar spichtige figuur, de donkere bob en rechthoekige bril, zag Sydney eruit alsof ze in een koffiezaak in Williamsburg thuishoorde, waar ze organische fairtradekoffie dronk, en niet in een ouderwetse Ierse pub in Upper West Side. Baby glimlachte opgelucht. Toen mevrouw McLean haar voor straf voor *Rancune* liet werken, had ze aangenomen dat ze zou moeten samenwerken met een meisje dat van gedichten hield, een cowboyrok droeg en wilde praten over de voordelen van sextetten boven pantoens. Ze had Sydney echter onmiddellijk herkend als het enige meisje op Constance van wie ze zich kon voorstellen dat ze vriendinnen zouden zijn.

'Jij bent toch Baby?' Sydney liet zich op de kruk naast haar vallen zonder op antwoord te wachten. 'Mag ik een Guinness? Het is belachelijk warm buiten!' riep ze naar de barman, terwijl ze de zweetdruppels van haar bleke voorhoofd veegde. 'Weet je, ik realiseerde me niet dat jij en Avery zusjes zijn. Jullie zijn zo anders,' riep Sydney terwijl ze nieuwsgierig naar Baby staarde. Ze pakte Baby's glas en nam een flinke slok.

'Whisky-cola,' zei ze duidelijk onder de indruk. 'Wat doe je trouwens met die belachelijke J.P. Cashman? Hebben jullie iets met elkaar?'

Baby glimlachte om de willekeur van Sydneys luidruchtige monoloog. 'Ik denk het. Ik bedoel, ja,' zei ze vastberaden. Ze nam een slok van haar drankje en genoot van de manier waarop het zoete van de frisdrank zich vermengde met de brandende sensatie van de whisky. Ze dacht eraan dat J.P.'s lippen naar eucalyptus en Marvis-tandpasta smaakten. Ze nam nog een slok. Ze kon whisky én eucalyptus lekker vinden.

Zolang je ze maar niet met elkaar vermengt.

'Interessant. En hoe is het om iets te hebben met de minimagnaat?' Sydney gooide wat van de muf uitziende nootjesmix die op de bar stond in haar mond. De nootjes leken op zijn minst zo oud als de barman. 'Lekker,' zei Sydney, terwijl haar tongpiercing glansde in het schemerige licht van de bar. Behalve de barman waren zij de enige aanwezigen. Het voelde een beetje als een geheim clubhuis.

'Hij is geweldig,' zei Baby eenvoudig. Ze voelde zich verbazingwekkend verlegen als ze over J.P. praatte, hoewel ze niet verlegen was over haar gevoelens voor hem. Vanaf het moment dat ze elkaar gisteren hadden gezoend, waren ze in de rol van vriend en vriendin gegleden. Ze was vanochtend wakker geworden omdat J.P. haar belde. Hij had haar een lief berichtje gemaild tijdens de studieles, en had voor vanavond zelfs een tafel in een restaurant gereserveerd, voordat Baby hem over haar afspraak had verteld. Het was superromantisch, maar een enorme verandering ten opzichte van haar laatste vriendje Tom, wiens idee van een romantisch gebaar was dat hij Baby's telefoontjes niet meteen liet doorgaan naar zijn voicemail. Het zou even duren om gewend te raken aan deze het-perfecte-vriendje-situatie. Maar Baby kon er vast en zeker aan wennen.

Dat kunnen we toch allemaal.

'Nou, fijn voor hem, denk ik. Ik ken hem helemaal niet, maar ik weet dat hij iets met Jack Laurent heeft gehad. Kun je je voorstellen dat je iets hebt met die bitch?' Sydney huiverde, alsof ze echt nadacht over een relatie met Jack.

Schattig. Ze zouden identieke T-shirts met bij elkaar passende teksten kunnen dragen: IK BEN EEN BITCH en ZIJ IS MIJN BITCH.

'Waarom is iedereen op Constance zo'n bitch?' vroeg Baby oprecht nieuwsgierig. Ze wist dat ze het over *Rancune* moesten hebben, maar het was fijn om te praten met een meisje die dezelfde houding leek te hebben als zij had.

'Ik denk dat het komt doordat gemeenschappen met alleen vrouwen intrinsiek onstabiel zijn, vooral in aanwezigheid van heteronormatieve culturele krachten.' Sydney kauwde nadenkend en haalde haar schouders op terwijl ze de oranje kruimels van haar robijnrode lippenstift veegde. 'Daarom wilde ik hier afspreken. Als school afgelopen is, wil ik graag zo veel mogelijk afstand tussen Constance en mij houden.'

'Ik weet wat je bedoelt. Ik ben nog steeds min of meer voorwaardelijk,' bekende Baby. 'Eigenlijk stelde mevrouw McLean voor dat ik aan *Rancune* zou werken. Wat ik natuurlijk helemaal geweldig vind,' zei ze snel om Sydney niet te beledigen. 'Ik ben gewoon hartstikke opgelucht dat ik niet van school ben getrapt. Ik weet niet wat ik dan had moeten doen.' Baby haalde haar schouders op en dacht erover na. Wat had ze dan gedaan? Was ze een professionele hondenuitlater geworden? Bitcherige cultuur of niet, Constance Billard was een van de beste scholen van Manhattan en absoluut Baby's beste optie.

'Neem je me in de maling? Ze trappen niemand van school. Ze zijn veel te bang dat ze hun donaties niet krijgen,' snoof Sydney. 'En dat met *Rancune* zit wel goed. Ik ben er om dezelfde reden bij gehaald.'

'Is dat zo?' vroeg Baby, die aan haar tweede drankje was begonnen. 'Hoe heb je dat voor elkaar gekregen?'

Heteronormatieve culturele krachten misschien?

'Tja, Ik had vorig jaar een probleempje. Ik voerde actie bij Engels, omdat we het hele jaar alleen stomme romans van oude, blanke mannen lazen. Daarom heb ik vlak voor de examens stickers met VECHT TEGEN HET PATRIARCHAAT in alle blauwe boeken geplakt. Ik wilde gewoon iets duidelijk maken. Het was een heel goed idee.' Ze zuchtte treurig. 'Dus ik ben blij dat je me helpt. En 'helpen' is het voornaamste woord. Je móét naar deze rotzooi kijken.' Sydney glimlachte terwijl ze in haar oranje Brooklyn Industries-postbodetas zocht. Baby realiseerde zich dat ze dezelfde tas in limoengroen had.

Grote geesten denken... hetzelfde?

'Ik heb een stapel inzendingen meegenomen,' begon Sydney aarzelend terwijl ze zocht tussen de met de hand geschreven vellen papier en een enkele uitdraai. 'Dit is mijn favoriet. Maar let op, het is intens. Ga niet huilen of zo,' waarschuwde ze terwijl ze Baby een verkreukeld velletje papier uit een notitieblok gaf.

Baby veegde het papier glad op het donkere eikenhout van de bar. Het werd drukker in de zaak en naast ze waren een paar jongens met een sukkelig uiterlijk gaan zitten. Ze hadden een pint bier besteld en discussieerden levendig over Aristoteles alsof het ze echt iets kon schelen. Ze hield van deze bar, zelfs al rook het er naar een combinatie van lysol en bier. De enige andere barretjes waar ze in New York City was geweest, waren door Avery uitgekozen. Die waren altijd verschrikkelijk druk en verschrikkelijk luidruchtig en gespecialiseerd in drankjes met belachelijke kleuren, die naar snoep smaakten.

Baby begon de met kauwgomroze inkt geschreven tekst te lezen.

EEN ROLTRAP IN BARNEYS
Barneys is bij mij favoriet,
Ergens anders zie je me niet.
Make-up, lingerie en Marc Jacobs-tassen,
Ik laat me op elke verdieping verrassen.
Maar het is niet alleen wat mijn AmEx kan kopen,
Of dat ik tussen al dat moois door mag lopen,
Als ik op de roltrap naar de volgende verdieping sta,
Is het net alsof ik rechtstreeks naar de hemel ga.

Baby snoof en begon te hoesten. De jongen naast haar sloeg op haar rug met zijn exemplaar met ezelsoren van Plato's *Republic*.

'Dank je,' stamelde ze.

Sydney glimlachte vrolijk. 'Kunnen we twee glazen bourbon krijgen?' riep ze tegen de barman. 'Ik trakteer. Je hebt iets te drinken nodig als je klaar bent met lezen.'

'Dat heb je verzonnen. Dat moet jij geschreven hebben.' Baby giechelde ongelovig. Ze voelde zich al een beetje dronken worden, verfrommelde een servet en gooide dat naar Sydney. Natuurlijk twijfelde ze aan de intelligentie van een aantal van haar klasgenootjes op Constance, maar niemand kon toch iets schrijven wat zó slecht was? Het moest een grap zijn, of satire misschien?

Sydney gooide het servet naar haar terug. 'Nee. Het lag vandaag in de ideeënbus. Het is van een vierdejaars, Florida Harris.

Haar vader is die weerman met dat toupet in *The Early Show*.'

Baby kreunde. In Nantucket hadden Avery, Owen en zij altijd naar dat programma gekeken om de heldhaftige, gletsjerachtige reis te volgen die zijn toupet van de bovenkant van zijn hoofd naar halverwege zijn voorhoofd maakte.

Sydney grijnsde boosaardig. 'Heb je nog een drankje nodig?'

'Misschien.' Baby giechelde. Op dat moment zoemde haar rode Nokia. Ze had een sms'je en las het.

IK MIS JE, SCHOONHEID, X J.P., stond er op de display.

'Vriendje?'

'Ja.' Baby knikte. Ze wist niet goed wat ze terug moest sms'en. MIS JE OOK, KNAPPERD? Getver.

'Dat is gaaf. Mijn vriendje kan hier trouwens elk moment zijn. Ik hoop dat je dat niet erg vindt?' vroeg Sydney, die zich er duidelijk niet druk over maakte of Baby dat erg vond of niet. 'Dit is het materiaal waarmee we moeten werken, dus alle ideeën over hoe we het enigszins leesbaar kunnen maken zijn heel welkom.' Sydney lachte en dronk Baby's glas leeg. Ze stopte de gedichten weer in haar tas en zette hem op de kleverige barvloer. De bespreking was duidelijk voorbij.

Op dat moment liep er een lange, superslanke jongen met weerbarstig, brillosponsachtig bruin haar dat uit zijn gezicht werd gehouden met een jarentachtig-zweetband naar Sydney en Baby toe.

'Hallo, lover.' Hij boog zich naar voren en kuste Sydney. Baby keek beleefd de andere kant op.

'Webber,' zei de jongen terwijl hij zijn hand uitstak. Baby moest vechten tegen de neiging om te lachen. Wébber? Dat klonk als een naam die een dreumes aan zijn knuffeleend zou geven.

'Ik weet het, het is een belachelijke naam.' Sydney rolde met haar ogen naar Webber. 'Webber, dit is Baby. Dat is haar echte naam, dus maak er alsjeblieft geen grapjes over. Ze helpt me met dat vreselijke literaire tijdschrift. Webber gaat naar Columbia,' legde Sydney uit.

'Leuk je te ontmoeten,' zei Webber, die zich op dezelfde kruk perste als Sydney. 'Wil dat zeggen dat jullie het eindelijk over RR gaan hebben?'

'Huh?' vroeg Baby onnozel. Ze vroeg zich af of het een nieuw voornaamwoord of zoiets was.

'Radicale Respons,' legde Sydney uit. 'Dat is een gave groep die Webber heeft opgericht met nog een paar studenten van Columbia. Ze proberen een statement te maken door op openbare plekken improvisaties en zo te geven,' ratelde ze. 'Mijn stickercampagne van vorig jaar was daar een onderdeel van. Maar het is moeilijk om dat soort dingen te doen zonder ondersteuning, weet je.'

Baby knikte beleefd. Het klonk inderdaad nogal cool, en veel leuker dan het saaie society-liefdadigheidscircuit waaraan Avery niet snel genoeg deel kon nemen.

'We willen vanavond naakt door Grand Central rennen. We gaan naar binnen en als de treintijden worden omgeroepen, doen we onze kleren uit en rennen naar het perron. Het is een statement over hoe we omgaan met het leven in een veel te gehaaste maatschappij. Doe je mee?' vroeg Webber aan Baby. 'Syd komt ook.'

'Vanavond niet...' zei Baby langzaam, terwijl er een idee vorm begon te krijgen in haar hoofd. Ze gluurde naar Sydney.

'O mijn god, laten we voor *Rancune* een kitscherige fotomontage over Radicale Respons maken, in de stijl van *Paper*! Ik snap niet dat ik daar niet eerder aan heb gedacht!' riep Sydney, terwijl ze een notitieboekje tevoorschijn haalde en driftig begon te schrijven. 'Ik kan de foto's maken. Kun jij iets schrijven wat erbij past?' Hoewel het een vraag was, blafte Sydney het als een bevel.

Baby knikte. Waarom niet?

'Is Constance daar klaar voor?' Webber greep in pure horror naar zijn borstkas.

'Het is nog beter als ze er niet klaar voor zijn.' Sydney glimlachte gemeen.

'Ik vind alles goed. Schrijven of fotograferen, dat maakt mij niet uit,' zei Baby, waarmee ze zichzelf verraste. Behalve de belachelijke foto's met haar mobieltje die ze altijd met haar vriend Tom maakte toen ze nog in Nantucket woonde, was ze nooit echt bezig geweest met fotografie. Maar nu ze had besloten om in New York te blijven, was het alsof ze alles in een nieuw licht zag.

En met naakte improvisatiekunst in haar toekomst zouden de mensen ook anders naar haar kijken!

5

Biechten komt niet alleen voor op de dansvloer

Dinsdag na school stampte Jack de gammele trap naar de zolder op, naar de kamers boven het ruime herenhuis waar haar moeder en zij woonden. De zolder was in de achttiende eeuw gebouwd voor de huisbedienden, maar Jack en haar moeder Vivienne hadden hem altijd gebruikt als opslagplaats voor de afdankertjes van het vorige seizoen. Nu deden de kamers dienst als een geïmproviseerd appartement, gemeubileerd met een allegaartje van Viviennes grootste inrichtingsblunders.

Jack gooide haar tas op de spinaziekleurige bank uit het midden van de jaren tachtig en ademde luidkeels uit. Ze hoorde het geluid van Edith Piaf door de flinterdunne muren van het appartement komen en haar moeders valse stem die '*je ne regrette rien*' kweelde. Fantastisch. *Maman* was thuis.

'*Chérie*!' Vivienne wankelde precies op dat moment de zitkamer in. Ze was als twintiger een gevierde prima ballerina geweest, tot haar relatie met Charles Laurent, de Amerikaanse ambassadeur in Frankrijk, had geresulteerd in een onverwachte zwangerschap, een snel huwelijk en een verhuizing naar New York City. Na een nog snellere scheiding had Vivienne haar energie gericht op shoppen bij Chanel, liefdadigheidstheepartijtjes geven voor de School of American Ballet en kritiek leveren op Jacks balletvoorstellingen. Sinds ze geen geld meer van Charles kregen, met dank aan Viviennes onverantwoordelijke manier om met geld om te gaan, leek ze plotseling oud geworden. Haar wilde rode haar stak alle kanten uit en ze droeg Hermès-sjaals in verschillende kleuren rond haar nek. Ze leek een beetje op Little Edie uit *Grey Gardens*, de weerzinwekkende documentaire over Jackie O's krankzinnige tante en nicht die met zes miljoen katten in een huis in Easthampton woonden.

Gelukkig is er op zolder geen plaats voor zes miljoen katten.

'Wat vind je van televisie?' Vivienne duwde Jack op een door motten aangevreten, rode, fluwelen stoel en hield haar hoofd verwachtingsvol schuin.

'Het zou prettig zijn om er een te hebben,' antwoordde Jack hatelijk. In werkelijkheid keek ze niet zo veel televisie. Ze had het nut er nooit van ingezien om te kijken naar de levens van andere mensen. Dat was meer iets voor mensen die levens hadden die van nature niet fantastisch waren.

'Nee, lieverd, ik vraag je niet wat je vindt van een televisie in ons huis. We zijn artiesten: we kijken niet naar kunst – we zíjn kunst,' zei Vivienne dramatisch. Ze klapte in haar handen alsof ze op het punt stond een voorstelling te geven.

De dans met de zeven sjaals?

'Ze willen me. Parijs wil me. Voor een televisieshow. Dit is mijn moment. *C'est mon retour*!' Viviennes ogen glansden terwijl ze zichzelf bekeek in de lelijke spiegel met vergulde lijst die ze een miljoen jaar geleden tijdens een veiling bij Sotheby's had gekocht. Ze merkte niet eens dat Jack boos naar haar keek. Geweldig. Dus haar moeder ging op een holletje terug naar Parijs om in de een of andere gênante, goedkope Franse televisieshow te verschijnen terwijl Jack verantwoordelijkheid moest leren op een muffe zolder die leek op Housing Works, de tweedehandswinkel met rariteiten in Seventy-seventh Street.

'Dat betekent dat ik me klaar moet maken voor Parijs. Er moet zo veel gebeuren. O, Jacqueline...' Vivienne glimlachte en rekte zich uit tot haar volle lengte van een meter vijftig. 'We stoppen met koolhydraten, en ik ga onmiddellijk op dieet. Het zal voor jou ook goed zijn, *ma chérie*. Koolhydraten maken je zacht.' Vivienne spreidde haar armen uit alsof ze optrad voor een onzichtbaar publiek. Jack stond op. Ze had genoeg van alle 'je moet leren hoe je moet lijden'-toespraken.

'Ik heb huiswerk,' mompelde Jack, waarna ze naar haar slaapkamer stampte. Ze liep naar het kleine raam boven haar lits-jumeaux en keek naar beneden, naar wat ooit haar tuin was geweest. De bomen waren nog steeds weelderig groen, maar over een paar weken zouden de bladeren allemaal vallen, waardoor het uitzicht absoluut deprimerend werd. Misschien zou ze over een paar weken niet eens meer in New York City zijn. Ze stond op, maakte een paar diepe pliés en strekte haar been naar boven uit. Was het verbeelding van haar, of was ze niet zo soepel als ze was geweest?

Jack pakte haar Treo en belde Genevieve. Ze waren altijd hartsvriendinnen geweest, en hoewel Genevieves zogenaamde betrokkenheid bij Hollywood haar mateloos irriteerde, was ze in elk geval íémand.

'Kan ik naar je toe komen?' vroeg Jack toen Genevieve opnam. Ze voelde zich een klein beetje zielig dat ze het moest vragen. Dit was reden nr. 3487 waarom het waardeloos was dat ze geen vriendje had. Aan J.P. had ze nooit gevráágd of ze mocht langskomen, ze had het gewoon gedaan.

'Mij best.' Genevieve zuchtte lui in haar mobiel. Dat was zo ongeveer het enthousiasme dat Genevieve kon opbrengen. Jack liep haar slaapkamer uit en smeet de deur dicht, maar haar moeder was te druk bezig met poseren voor de spiegel om het te merken.

Twintig minuten en een vreselijke metrorit later deed Genevieve de deur open van het bescheiden maar heel zorgvuldig onderhouden witte appartement in Third Avenue, waar ze met haar moeder woonde, een voormalig model dat nu voornamelijk verscheen in *Lifetime*-televisieproducties. Genevieve droeg haar Constance-rok nog steeds, die ze zo hoog had opgerold dat haar in Cosabella gestoken kont bijna zichtbaar was, en een doorzichtig lichtroze topje. Ze zag eruit als een alcoholistische gescheiden vrouw, maar dan zonder de rimpels. Zwijgend overhandigde Genevieve Jack een enorm glas dat tot de rand gevuld was met rode wijn.

'Dank je,' zei Jack dankbaar. Ze dronk gulzig en zette het glas daarna sierlijk op het aanrecht. Ze keek om zich heen in het kleine appartement, dat vol hing met foto's van Genevieves moeder. Ze kromp ineen toen haar ogen belandden op een grote, halfnaakte foto van Genevieves moeder toen ze zwanger was van Genevieve, die boven de gewelfde stenen schouw hing. Jakkes. Jacks moeder was misschien krankzinnig, maar ze was in elk geval niet ordináír.

'Nou, wat is er aan de hand?' vroeg Genevieve. Ze leek een beetje opgewonden en haar lippen waren rood van de wijn. Genevieve had te veel highlights in haar blonde haar, een klein, parmantig neusje (met dank aan drie neustussenschotoperaties, een in elke zomer die ze bij haar filmdirecteur-vader in LA had doorgebracht), borsten die elke zomer groter werden terwijl haar neus kleiner werd, en lange bruine wimpers van het soort waardoor je eruitzag als een kameel. Toen ze acht jaar was, had ze een hoofdrol in een Disneyfilm gehad, maar daarna was ze haar 'schattige periode' ontgroeid. Nu speelde ze af en toe in soapseries of ze kreeg een gastrol in een aflevering van *Law & Order*, en ze wachtte nog steeds, niet bepaald in het geheim, op haar grote doorbraak.

'Ik haat J.P. en dat sletterige hippiekind.' Jack zuchtte. Ze leunde tegen de spierwitte bank en probeerde niet naar de foto van Genevieves naakte, zwangere moeder te kijken.

'Dat zal wel. Eerlijk, ik weet dat het rot is als je verkering uit is.' Genevieve zuchtte hartgrondig.

Nee, dat weet je niet, dacht Jack. Genevieves langste relatie ooit – met een van haar vaders achterlijke B-lijst-tieneracteurs – had twee hele weken geduurd.

'Maar echt, is het alleen J.P.? Wat is er de laatste tijd met je aan de hand? Je had altijd zo veel krácht. En nu wil je niet meer met ons uit, je gaat niet mee naar Barneys, je slijmt bij Avery Carlyle, terwijl je hebt gezegd dat je haar haat... Heb je, eh, stiekem een relatie met haar portier of zoiets?' Genevieves ogen lichtten op bij de gedachte aan een geheime affaire. Blijkbaar hadden de ingewikkelde verhaallijnen van de soapseries waarin ze had gespeeld invloed op haar gevoel voor realiteit gehad.

'Ik slijm niet bij Avery.' Jack lachte onbeholpen en nam snel een slok wijn. Ze dacht aan afgelopen woensdag, toen de band van Averys tas was gebroken en Jack al haar boeken voor haar had gedragen. Ze probeerde het slijmen te bewaren voor de momenten dat ze alleen was met Avery, maar blijkbaar hadden haar vriendinnen het gemerkt. Stel je voor dat ze besloten dat ze een volslagen loser was en dat ze haar officieel uit hun groep stootten? Ze moest iets dóén.

'Wie denk je dat de politie heeft gebeld op haar feest?' Jack grijnsde tevreden toen ze de geschokte uitdrukking op Genevieves gezicht zag.

'Heb jíj dat gedaan? Maar waarom slijm je dan zo tegen haar? Is dat om haar lekkere broer te krijgen of zo?' riep Genevieve haar achterna terwijl ze naar de keuken liep om haar glas nog een keer te vullen.

'Eigenlijk is het...' Jacks stem stierf weg terwijl ze met een trillende onderlip koortsachtig een goede leugen probeerde te bedenken. Ze wilde al zo lang dolgraag met iemand – wie dan ook – over haar problemen praten. 'Mijn vader heeft de toelage van mijn moeder en mij gestopt. Hij heeft ons huis verkocht, we wonen verdomme op de zolder, en Avery is daarachter gekomen. Ik wilde niet dat iemand het wist,' zei Jack in een stroom woorden.

'Echt?' Genevieve bleef staan, met in allebei haar handen een fles wijn.

'Ja.' Jack haalde haar schouders in een verdedigend gebaar op. Ze had écht niet goed over dit gesprek nagedacht. Nu ging Genevieve het aan iedereen vertellen, en dan zouden ze een soort liefdadigheidsactie voor haar organiseren of zoiets.

'En wat dan nog?' Genevieve ging weer op de bank zitten. 'Mijn vader doet dat de hele tijd. Vooral als een van zijn films flopt.' Ze duwde de kurkentrekker vakkundig in het midden van de fles vintage 1980 L'Evangile-bordeaux, ontkurkte hem, en schonk de rode vloeistof in Jacks nog steeds gevulde glas. 'Waarom denk je dat mijn moeder Tori Spellings moeder heeft gespeeld in tien televisiefilms? Hemel, mannen kunnen zulke klóótzakken zijn! Ze haalde welwillend haar schouders op. 'Ik begrijp alleen niet waarom je dat voor ons geheim hebt gehouden. Denk je dat we je hadden laten vallen omdat je een klootzak van een vader hebt?' Genevieve boog zich naar haar toe en omhelsde Jack. Jack beantwoordde de omhelzing dankbaar. Genevieves borsten waren echt enorm. Als je haar omhelsde, was het net alsof je meneer McFadden omhelsde, haar wiskundeleraar in de derde, wiens de zwaartekracht tartende bovenlijf altijd een onderwerp van speculatie was geweest. Jack snikte even. Het was gewoon zo'n fijn gevoel als er eens iemand voor haar zorgde.

'O, mijn god.' Genevieve rolde geïrriteerd met haar ogen terwijl ze zich losmaakte. 'Laten we alsjeblieft niet melodramatisch gaan doen.' Ze hikte en knalde de wijnfles op tafel. Jack glimlachte en probeerde te voorkomen dat het een enorme grijns werd. Ze voelde een duizeligmakende opluchting, maar ze wilde niet dat het duidelijk was hoe pathetisch ze wel niet was.

'Laten we uitgaan en écht drinken. Er zijn hier ontelbare goedkope barretjes. Soms moet je je gewoon behelpen.' Genevieve keek naar haar spiegelbeeld in het roze, doorzichtige

Cosabella-hemdje. 'Heel ordinair.' Ze knikte vrolijk naar de spiegel.

Jack dacht na. Het zou leuk zijn om samen uit te gaan, al was het maar naar een saaie studentenbar met een kleverige vloer.

'Goed,' stemde ze toe.

Zodra ze buiten waren, floten er een stel bouwvakkers naar ze.

'Klootzakken.' Genevieve stak haar tong uit en hield haar middelvinger omhoog, maar ze keek behoorlijk tevreden. Jack knikte zwijgend, hoewel hun gejoel en geschreeuw als muziek in haar oren klonk. Haar familie was misschien waardeloos en haar woonsituatie was misschien een ramp, maar dit was New York, en ze hóórde hier. De stad had alles wat ze nodig had, met inbegrip van flirtende barmannen en gratis drankjes.

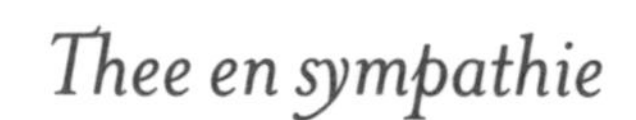

6

Thee en sympathie

Avery Carlyle liep op dinsdagmiddag het Pierre Hotel binnen. Haar marineblauwe Miu Miu-schoentjes tikten op de marmeren vloer. Haar bespreking met de Raad van Toezichthouders van Constance begon om vier uur in de ronde zaal. Avery's luidruchtige voetstappen leken de pianospeler in de hoek te overstemmen en ze probeerde discreet op haar tenen te lopen – het laatste wat ze wilde was haar aanwezigheid kenbaar maken door te klinken als een hysterische tapdanseres.

Toen Avery de ronde zaal binnenkwam, duwde ze zenuwachtig een losse streng blond haar onder haar favoriete, met veel edelstenen bezette Marc Jacobs-haarband. Ze keek om zich heen en realiseerde zich dat ze mínstens vijftig jaar jonger was dan de andere aanwezigen. De lucht was zwaar van de geur van Chanel No. 5, en Avery laveerde tussen de vergulde stoelen met rechte rugleuning, in de hoop dat ze Muffy St. Clair zou herkennen. Het was moeilijk om het verschil te zien, omdat alle dames waren gekleed in zwarte St. John-carrièrepakjes, parels, hakken van zeven centimeter, en smaakvol gekleurd grijsblond haar hadden, dat stevig was getoupeerd tot het zeven centimeter boven de gebotoxte voorhoofden uittorende.

'Avery!' riep Muffy hees van een centrale tafel. Avery zuchtte opgelucht en liep naar haar toe. Ze was zich ervan bewust dat er hoofden werden gedraaid om naar haar te kijken. Muffy schuifelde langzaam naar Avery toe met behulp van een elegante wandelstok, en Avery bukte zich om haar voorzichtig een kus op haar wang te geven. 'Je lijkt als twee druppels water op je oma. Natuurlijk, in die tijd dansten we op tafels in plaats van bij elkaar te komen om thee te drinken.' Muffy klakte spijtig met haar tong en duwde haar droge, abrikooskleurige lippen op elkaar terwijl ze haar knokige vingers rond Avery's onderarm klemde. 'Kom, ik kan niet wachten tot je wat jong bloed aan onze Constance-groep toevoegt.'

'Dank je!' piepte Avery. 'Ik bedoel, dat klinkt fantastisch,' corrigeerde ze zichzelf, terwijl ze probeerde haar stem te verlagen zodat ze niet klonk als een cheerleader die high is van de cafeïne.

'Wat?' brulde Muffy. Ze leunde zo dicht naar Avery toe dat er druppeltjes spuug op Avery's oor belandden. 'Als ik op deze vergaderingen ben, laat ik mijn gehoorapparaat altijd uit. Als ik dat niet zou doen, zou ik de neiging hebben om een van deze oude zeurkousen te vermoorden.' Muffy lachte hees.

Avery knikte beleefd en schuifelde achter Muffy aan over het weelderige, katoenen, snoepgoedkleurige kleed. Voor de miljoenste keer stelde ze zich voor dat grootmoeder Avery, waar ze ook was, glimlachend op haar neerkeek. Dít was het New York dat ze zich altijd had voorgesteld.

Omringd door zeventigjarigen?

'Hallo!' zei een van de dames schor terwijl ze een gerimpelde hand uitstak. 'Dus zo ziet Constance er tegenwoordig uit.' Ze zweeg even terwijl ze Avery van top tot teen bekeek.

'Sorry?' vroeg Avery.

'Let maar niet op Esther,' zei Muffy.

'Hier, ga zitten.' Haar dikke, gouden Chanel-armbanden stootten tegen elkaar terwijl Avery naast Esther ging zitten. Aan haar andere kant zat een vrouw die zowat in slaap viel boven haar bord met scones.

'Dank u,' antwoordde Avery verlegen. Ze streek haar Constance-rok netjes over haar knieën en zorgde ervoor dat ze rechtop zat. De ober kwam naar haar toe met een tere theepot en schonk een kop thee voor haar in. Avery moest plotseling denken aan haar rampzalige eerste poging om populair te worden, toen ze tijdens haar eerste schoolweek een theepartijtje had georganiseerd en al haar klasgenoten van Constance had uitgenodigd, maar dat er niemand was gekomen.

Het lijkt erop dat ze op het verkeerde publiek had gemikt.

'Goed, we hebben veel werk te doen,' verkondigde Muffy tegen de groep terwijl ze in haar handen klapte. Avery zag dat ze discreet iets in haar linkeroor stopte terwijl ze net deed of ze een koppige lok oranjerood haar op zijn plek duwde. Haar dunne, broze nagels waren in opvallend rood gelakt. 'Om te beginnen, wie weet er íéts over Camilla Hoovers vréselijke bezoek aan dr. Brower?'

'O, dat weet ik.' Esther keek somber naar de tafel terwijl de rest van de dames haar voorbeeld volgde. Avery sloeg haar ogen ook neer.

'Wat verschrikkelijk,' mompelde Avery op een toon waarvan ze hoopte dat die somber genoeg was. Camilla had vast te horen gekregen dat ze een levensbedreigende ziekte had. Avery schoof ongemakkelijk op haar stoel heen en weer terwijl ze de elegante omgeving in zich opnam. Een harpist speelde op de achtergrond, en de muren waren ontworpen om op die van een Europese kathedraal te lijken. Het was mooi, maar erg volwássen.

Lees: saai.

'Het is verschrikkelijk,' krijste Esther in Avery's oor. 'Hoeveel Restylane hebben ze wel niet in haar gepompt. Die vrouw leek al op een woestijnrat!'

'Met het oog op haar normale uiterlijk vind ik het een stap in de goede richting,' zei een zuur kijkende vrouw met krullend zwart haar terwijl ze met haar roze nagels op tafel trommelde.

Haar knokige handen deden Avery denken aan de oude boom in hun achtertuin in Nantucket.

'Tja, je zou denken dat iemand haar naar de juiste chirurg had verwezen, en nu doet ze net alsof er niets aan de hand is.' Muffy schudde verdrietig haar hoofd, op de universele manier die vrouwen en meisjes gebruiken als ze meelevend willen klinken maar in werkelijkheid gewoon bitcherig zijn. Avery kende het gebaar maar al te goed. Ze keek op. Haar ogen schoten tussen Muffy, Esther en de rest van de onschuldig glimlachende vrouwen heen en weer. Waren ze aan het róddelen? Ze keek naar de breekbaar ogende, zilverharige vrouw tegenover haar, die stiekem iets uit een gegraveerde flacon in haar breekbare, roze theekop schonk. En drónken ze?

Zie je wel? We zijn allemaal hetzelfde.

De vrouw tegenover Avery zag haar starende blik. Ze hield de flacon omhoog en trok vragend één dik getekende wenkbrauw omhoog. Avery voelde dat ze begon te blozen en schudde haar hoofd.

'Goed, ik denk dat we over moeten gaan op de lopende zaken,' begon Muffy. Avery ontspande zich. Eindelijk begon de echte vergadering. Ze kon niet wachten om meer te horen over de plannen die de Raad voor Constance had, en om haar mening te geven. 'Laten we beginnen met de aanwezigheidslijst.'

'Dat kan ik voor je doen,' zei een vrouw met een hese rokersstem. Ze klonk alsof ze een hele schoorsteen had geïnhaleerd. 'Niet aanwezig: Ticky Bensimmon-Heart.' Avery speelde nadenkend met haar gouden medaillon. Ticky Bensimmon-Heart? Die naam klonk bekend. Avery pijnigde haar hersenen in een poging zich te herinneren waar ze de naam eerder had gehoord. Was zij niet de uitgever van het tijdschrift *Metropolitan*? *Metropolitan* was het ultracoole, op New York gebaseerde tijdschrift dat mode, societyroddel uit Manhattan en kritische artikelen in één pakket combineerde. Het tijdschrift had nooit geprobeerd de stadsgrenzen te overschrijden, omdat Ticky met een ijzeren hand de scepter zwaaide en naar verluidt geloofde dat er buiten Manhattan niets gebeurde wat de moeite waard was om over te schrijven (met Parijs en Milaan als mogelijke uitzonderingen).

'Ze denkt dat ze te goed voor ons is, en dan stormt ze tijdens onze liefdadigheidscampagnes naar binnen en steelt al onze fotomomenten.' Muffy zuchtte verdrietig en pakte Avery's hand vast. 'Maar goed, ik wil jullie voorstellen aan een heel speciaal iemand. Komt deze jongedame jullie bekend voor? Dat kan. Ze is namelijk niemand anders dan Avery Caryle, kleindochter van onze éígen Avery.' Het gemompel vloog tussen de tafels heen en weer. 'Wil je een schat zijn en jezelf voorstellen? Luid en duidelijk?' bracht Muffy haar in herinnering.

'Hallo, ik ben Avery Carlyle. Ik hoop dat ik aan jullie verwachtingen en aan die van mijn oma Avery zal voldoen,' zei ze verlegen.

Alle vrouwen applaudisseerden, het drama van de afwezigheid van Ticky Bensimmon-Heart was blijkbaar vergeten.

'Laten we om te beginnen praten over het uniformbeleid op Constance,' verkondigde Muffy. Avery veerde op. Ze vond het héérlijk om over uniformen te praten. Het zou fantastisch zijn als ze de seersucker zomerrokken niet meer hoefden te dragen. Het schooljaar was maar een paar weken geleden begonnen en Avery had er nu al genoeg van. Ze had een eenvoudige klokrok met een jasje in militaire stijl in haar roze Filofax getekend. Misschien konden ze de rok uitvoeren met een krijtstreepje? Of met zo'n schattige Schotse ruit?

'Vorige maand hebben we afgesproken dat de kleur van de rok moet veranderen. Vandaag moeten we beslissen of het marineblauw of nachtblauw wordt.'

Avery fronste haar voorhoofd. Had het ze een hele maand

gekost om te beslissen dat de kleur van de rok moest veranderen? En wat was het verschil tussen marineblauw en nachtblauw?

'Ik ga voor nachtblauw. Bezwaren?' vroeg Muffy aan de groep. Ze verwachtte duidelijk geen protest. De vrouw naast Avery snurkte en er liep een dunne sliert kwijl langs haar kin.

'Nachtblauw is heel gedistingeerd. En we hebben het over jonge meisjes. We willen niet dat ze er... losbandig uitzien, zoals die vreselijke Franse meisjes op L'École.' Een vrouw met vier Cartier-halskettingen schudde verdrietig haar hoofd. Avery luisterde niet meer en plukte aan een dikke, muffe scone. Hij was zwaarder dan een handgranaat.

Terwijl de vrouwen bleven praten over de verdiensten van marineblauw versus nachtblauw, vroeg Avery zich af wat Jack, Genevieve en Sarah Jane deden. Hoewel ze heel enthousiast was over haar baantje als studentenlid, wilde ze ergens dat ze gewoon op de trap van het Met kon zitten, om te praten over het leven en de jongens van St. Jude die langsliepen te keuren op eventueel vriendjespotentieel. Avery had nog nooit een échte vriend gehad. Natuurlijk, ze was op veel jongens verliefd geweest, en ze had met een paar jongens gezoend. Maar dat was in Nantucket geweest, en als een relatie naar het volgende niveau leek te gaan, was er altijd iets mis geweest. Ze kon niet wachten om een gedistingeerde, ultralekkere Upper East Sider te ontmoeten. En met Constance Billards populairste meiden als haar beste vriendinnen, zou het gaan gebeuren. De vraag was alleen wanneér.

'Avery, wat denk jij?' Muffy klemde haar hand rond Avery's onderarm en rukte haar uit haar dagdroom.

'Nachtblauw,' piepte Avery schuldig. Was het duidelijk dat ze er met haar gedachten niet bij was geweest?

'Wat?' Muffy keek verward. 'Liefje, we vroegen je of je hebt gezien dat Dinah van haar flacon dronk. Ze doet dat soms, dus we móéten het weten, anders valt ze in slaap op het toilet.'

'O, dat is me niet opgevallen.' Avery bloosde terwijl ze zich realiseerde dat de vrouw die naast haar had gezeten er niet meer was.

'Esther, wil jij Dinah gaan halen? Ze zit waarschijnlijk op de vertrouwde plek,' zei Muffy verdrietig. 'Wil je de volgende keer op haar letten, Avery?'

Avery knikte. Ze voelde zich een beetje geïrriteerd. Was het de taak van het studentenlid om te letten op een oude alcoholistische vrouw? Daarvoor had ze zich niet opgegeven. Over valse voorwendsels gesproken. De Raad van Toezichthouders was niet meer dan een groep oude societydames die dronken, roddelden, en bijna niets bereikten tijdens hun vergaderingen. Ze probeerde discreet op haar Rolex te kijken, in de hoop dat ze nog tijd had om de meiden te zien voordat het donker werd.

'Goed, liefje.' Muffy leek haar gedachten te lezen. 'Het was een plezier om je hier te hebben. Je bent een érg waardevol lid.' De vrouwen knikten een voor een. 'Je mag nu gaan als je wilt. Ik denk dat we de vergadering in de lounge voortzetten, met een likeurtje.' Muffy's bruine ogen glinsterden vrolijk. 'Je bent natuurlijk meer dan welkom om ons gezelschap te houden.'

'Nee, dank u!' Avery glimlachte naar de vrouw en stond snel op. Ze wílde niet eens weten waarover ze praatten als er alcohol in het spel was.

7

R wil alles doen voor de liefde... maar er zijn grenzen

Rhys Sterling bleef in de met rood tapijt beklede hal van zijn herenhuis staan om zijn leigrijze Thomas Pink-stropdas recht te trekken. De barokke hal was ingericht met zware eiken en walnoothouten meubelen die van verschillende buitenhuizen in Engeland afkomstig waren. Vanavond hadden de Sterlings een formeel diner, iets waar zijn keurige moeder drie keer per week op stond. Ze had Rhys' vader, lord Algernon Sterling, ontmoet tijdens een uitwisselingsprogramma tussen Vassar en Oxford. Zodra ze getrouwd waren en ze de titel lady Sterling had gekregen, vond ze zichzelf opnieuw uit als Europese adel. Met haar onberispelijke manieren en voorliefde om, net als koningin Elizabeth, grote hoeden te dragen, zag iedereen beleefd het feit over het hoofd dat ze eigenlijk afkomstig was uit Greenwich, Connecticut en niet uit Greenwich, Engeland.

Rhys liep de eetkamer in en stak zijn hand uit om zijn vader te begroeten. Algernon schudde hem zwijgend en hield een klein glas sherry omhoog in een vage toost. Rhys ging met een eenzaam gevoel op zijn stoel zitten. Kelsey kwam altijd naar hun formele diners, en iets aan haar aanstekelijke enthousiasme maakte ze bijna léúk. Zelfs lord Sterling, de lange, zilverharige, bebrilde bestuursvoorzitter van een groot uitgeversimperium, zei altijd dat hij het uitstekend naar zijn zin had met haar. Hij legde zijn BlackBerry zelfs weg als Kelsey praatte, wat een zeldzame prestatie was.

'*Darling*, je hebt het gered!' kirde lady Sterling van de andere kant van de tafel, alsof Rhys net de Atlantische Oceaan was overgezwommen en niet van het Y in Ninety-second Street naar huis was gelopen. Rhys haalde zijn schouders op en keek op naar zijn moeder. Haar witte haar, dat die kleur al had voordat Rhys geboren was, was koninklijk opgestoken in een wrong. Haar huid was echter helemaal rimpelloos. Ze zag eruit als Nicole Kidman met een pruik op.

'Ik ben zo blij dat ons gezin bij elkaar is. Maar natuurlijk was het heerlijk geweest als Kelsey hier ook had kunnen zijn. Ze is altijd een grote aanwinst bij onze gesprekken,' zei lady Sterling terwijl ze door haar halve bril naar Rhys staarde. Rhys schoof ongemakkelijk op zijn stoel heen en weer. Zijn moeder was altijd enthousiast, maar vandaag leek ze een beetje wispelturig. Hij moest plotseling denken aan de tijd dat ze een aflevering filmde van *Kerstmis met lady Sterling* en per ongeluk twee flessen in plaats van twee glaasjes gin in een recept voor kerstbowl had gegooid. Tijdens de aflevering dronk ze sierlijk van de bowl terwijl ze giechelend vertelde dat het zo'n gezellig feest was.

'Tja, ze kon niet,' mompelde Rhys terwijl hij het dikke, witte, linnen servet op zijn schoot gladstreek. Anka, hun onvriendelijke Roemeense dienstmeisje, zette zijn bord ruw voor hem neer.

'Ik heb een mededeling,' zei lady Sterling toen Anka wegliep. '*Town & Country* wil een fotoreportage van je vader en mij plaatsen. Blijkbaar hebben ze een groot item over "Verliefde Engelsen in het buitenland". Klinkt dat niet fantastisch?' Ze fladderde met haar wimpers naar lord Sterling, die stiekem onder tafel naar zijn BlackBerry keek.

'Inderdaad, lieverd.' Hij knikte snel.

Lady Sterling straalde. 'Natuurlijk mogen Kelsey en jij met ons op de foto. Al komt Kelsey niet uit Engeland... of zelfs van het continent,' benadrukte lady Sterling somber. Daarna klaarde ze weer op. 'Maar ze is ook niet een van die typisch Amerikaanse meisjes met al hun tatoeages en slechte manieren.'

'Dat is geen goed idee,' zei Rhys automatisch, terwijl hij de zalm met pistachekorst over zijn bord schoof. Hij had zijn moeder niet verteld wat er met Kelsey was gebeurd. Iedereen zou zich rot voelen als hij vertelde dat ze hem had gedumpt voor een andere gozer.

'Hebben jullie problemen?' Lady Sterling veerde overeind. Ze voelde blijkbaar dat er een onderwerp voor haar televisieshow in zat.

'Het ligt nogal... eh... ingewikkeld.' Rhys aarzelde. Als hij Kelsey snel genoeg terugwon – hij was het absoluut van plan, hij had alleen nog niet bedacht hoe – hoefden zijn ouders helemaal niet te weten dat ze uit elkaar waren.

Zijn vader liet de lepel vallen die hij had gebruikt om de erwtjes uit zijn wildepaddenstoelenboter te vissen. 'Dus je bent gedumpt?'

Rhys keek verdrictig naar zijn bord. Geweldig. Nu wisten zijn ouders dat hij was gedumpt en moest hij hun vernederende medelijden tijdens een lang, formeel diner verdragen.

'Ach, doe niet zo stom, jongen!' zei lord Sterling resoluut terwijl hij zijn lepel en vork op tafel gooide. 'Dat tegenstrijdige gedoe, de jacht – het is allemaal onderdeel van het spel. Hoe denk je dat ik je moeder heb gekregen?' Hij lachte zelfvoldaan.

Misschien had een vage claim over adellijk bloed er iets mee te maken?

'O, Algy,' giechelde lady Sterling terwijl haar gezicht vuurrood werd. Rhys keek snel op, in de hoop dat zijn ouders het niet over seks hadden.

'Ik moest haar laten zien hoe romantiek werkte. Ik moest haar betoveren.' Lord Sterling glimlachte breed, duidelijk tevreden met zichzelf, en hield zijn wijnglas omhoog zodat Anka het bij kon vullen. Rhys schoof ongemakkelijk op zijn stoel heen en weer. Hij hield er niet van om aan zijn vader te denken als een aantrekkelijke donjuan die zijn moeder had betoverd.

'Dat heeft hij gedaan. En dat moet jij met Kelsey doen,' verkondigde lady Sterling. Ze liep naar Rhys toe en klopte hem bemoedigend op zijn hoofd, alsof hij een van haar vijf corgi's was.

Hmm, iemand schijnt een behoorlijke koningin Elizabeth-verering te hebben.

'Stel dat je haar meeneemt naar *Thee met lady Sterling*? Ik kan een hele show over jonge liefde doen. We praten met jou, we praten met haar, we gaan helemaal naar de basis. Ik denk dat het veel van je schoolkameraden helpt die daarnaar kijken.'

Rhys maakte zijn stropdas los en keek hulpzoekend naar zijn vader. Hij wilde Kelsey dolgraag terug, maar het was een afgrijselijk idee om dat tijdens een televisieshow te vertellen. Zijn moeder vertoonde elk jaar op 14 februari al een opname van hem, toen hij vijf jaar was en Kelsey had gevraagd of ze zijn Valentijn wilde zijn. Hij leek een nog grotere loser als hij in de show zat en toegaf dat ze geen verkering meer hadden. 'Eh, bedankt, maar ik denk dat ik het liever wat bescheidener hou,' mompelde Rhys, die niet kon geloven dat hij relatieadvies van zijn ouders kreeg. Alsof het leven niet armzalig genoeg was.

'Stil, lieverd. Het wordt grandioos,' zei lady Sterling. 'Algy, geef mij die eens.' Ze gebaarde naar de BlackBerry van haar echtgenoot en begon snel een nummer in te toetsen. Rhys keek ontzet naar haar. Ze belde Kelsey toch niet?

Wie kan er nee zeggen tegen lady Sterling?

'Bob, met lady S. Luister, ik heb een idee voor de show dat ik met je wil bespreken. Mijn zoon en zijn vriendin hebben een aantal problemen – je weet wel, jonge liefde, verwachtingen, dat soort dingen.' Bob was haar opzichtige producer die elke gelegenheid aangreep om een over-the-top-item te brengen. 'Stel dat we een aflevering maken over verkering vroeger en nu. Rhys kan Kelsey het hof maken, misschien in een soort laatnegentiende-eeuws industriële-revolutiedecor, snap je?' Rhys keek naar lady Sterling, die haar voorhoofd fronste terwijl ze geconcentreerd nadacht.

'Pap?' vroeg Rhys wanhopig. Zijn vader keek gefascineerd naar lady Sterling met een glimlach rond zijn lippen. Geweldig. Dus iedereen dacht dat zijn leven een verdomde televisieshow was.

De hele wereld ís natuurlijk een groot podium.

'Goed, dat klinkt fantastisch.' Lady Sterling knikte kordaat en gaf de BlackBerry terug aan haar echtenoot.

'Rhys, het is allemaal geregeld.' Ze glimlachte. 'Dit is wat Bob en ik denken: om het onderwerp te introduceren, gaan jullie samen heel chic uit, oude New Yorkse stijl. Ik denk dat dat de beste manier is om het onderwerp echt tot leven te brengen. Wat vind jij, lieverd?'

'Nee,' schreeuwde Rhys bijna. 'Ik bedoel... ik denk dat ik liever zelf iets wil doen. Zonder camera's,' voegde hij er streng aan toe.

'O.' Lady Sterling keek teleurgesteld. 'Maar het is zo'n goed idee, vind je niet? Dan zal ik een ander stel moeten vinden. Maar misschien kunnen Kelsey en jij de studio na de opnames gebruiken? Het uitzicht is prachtig, dat weet je. Je mag de band ook hebben. Ze kunnen bijvoorbeeld, eh, ik weet niet, 'Strangers in the Night' of zo spelen. Ik was in de zevende hemel geweest als je vader op die manier had geprobeerd me voor zich te winnen. Ik denk dat je de tijd moet nemen om weer een band met elkaar te krijgen.' Lady Sterling wreef haar beringde handen tegen elkaar terwijl lord Sterling zijn wenkbrauwen naar haar optrok.

'Misschien.' Rhys dacht na. Zijn moeders televisiestudio, die uitkeek over Columbus Circle, had aan alle kanten ramen, met fantastische uitzichten over de stad, wat 's avonds echt heel mooi zou zijn. Maar aan de andere kant was de studio ingericht in zachtpaars en taupe, met vreemde, halfnaakte engelen op de muren. Het was niet erg Kélsey, een meisje dat was geboren in Williamsburg, Brooklyn, en pas naar Upper East Side was verhuisd toen haar beeldhouwende moeder was getrouwd met een rijke financier. Kelsey was elegant, maar ze was ook heel erg gewoon. Maar Central Park... Kelsey hield van het park.

Rhys realiseerde zich opgewonden dat het park de plek was waar ze verliefd op elkaar waren geworden. Hun *nannies* waren hartsvriendinnen geweest toen ze kinderen waren, en ze gingen elke dag na school naar het park. Het zou veel beter zijn om Kelsey te vertellen wat hij voor haar voelde tijdens een picknick op het gras dan een overdreven romantisch diner in een saai restaurant. Dat was Kelseys stijl niet. Maar een informele picknick met haar favoriete hapjes op een van haar favoriete plekjes in het park... dat zou kunnen werken. Het zou niet overdreven of wanhopig zijn, en – met een beetje geluk – zou ze beseffen hoe goed ze bij elkaar pasten en zou ze terugdenken aan alle mooie momenten die ze de afgelopen jaren samen hadden beleefd.

'Mag ik van tafel?' vroeg Rhys, terwijl zijn stoel over de kersenhouten vloer schraapte voordat zijn moeder met nog méér ideeën kon komen. Anka kwam meteen naar de tafel om zijn bijna onaangeroerde bord weg te halen. Zijn hersenen maakten overuren terwijl hij probeerde om het perfecte, fantastische plan te bedenken, zonder dat het leek alsof hij het te hard probeerde. Lady Sterling knikte terwijl ze zachtjes neuriënd in haar stoel schommelde. Lord Sterling deed hetzelfde. Het was alsof ze aan het dansen waren, maar dan gescheiden door de drie meter lange Louis XIV-tafel.

En dan zeggen ze dat de Britten gereserveerd zijn.

Rhys rende de trap op naar zijn kamers. Hij rukte zijn stropdas af en schoof de zware gordijnen open om de laatste avondzon binnen te laten. Hij pakte een zilveren lijstje dat Kelsey hem had gegeven toen ze een jaar verkering hadden. Op de foto kusten ze elkaar voor het Romeo-en-Juliabeeld naast het Delacorte Theater in het park. Ze hadden een willekeurige, langslopende toerist gevraagd of hij een foto wilde maken, en omdat de man niet kon fotograferen of een vendetta tegen de liefde voerde, ontbrak een deel van hun hoofden op de foto. Kelsey had gelachen toen ze dat zag, en Rhys had het ook meteen geweldig gevonden. Hoewel je hun ogen niet kon zien, was dit het soort kunstzinnige foto waar Kelsey gek op was, en het was duidelijk te zien hoe gelúkkig ze waren.

Op een vreemde manier was het advies van zijn moeder helemaal geweldig. Ze moesten weer een band krijgen. Zonder ingewikkeld gedoe. Tenslotte was alles goed geweest totdat Rhys te enthousiast was geworden en had geprobeerd hun eerste keer perfect te maken, compleet met rozen, kaarsen en sentimentele muziek. Geen wonder dat het Kelsey te veel was geworden.

Rhys glimlachte opgewonden. Waar had hij op gewacht? Het was tijd om haar terug te krijgen.

Er is niets beter dan een openhartig gesprek met je saaie Engelse ouders om je in de juiste stemming te krijgen.

gossipgirl.net

Disclaimer: alle namen van plaatsen, mensen en gelegenheden zijn veranderd of afgekort om de onschuldigen te beschermen. Mij, vooral.

Topics | Gezien | Jullie e-mail | Stel een vraag

Ha mensen!

In oorlog en liefde is alles geoorloofd

In Dantes *Goddelijke komedie* worden de wellustigen met eeuwige onrust gestraft in de tweede cirkel van de hel. Ligt het aan mij, of klinkt dat als een vertrouwde ervaring voor een aantal eenzame meiden in Upper East Side? Het lastigste aan de liefde (of begeerte, ik maak geen onderscheid) is dat de echte, eerlijke, ruggengraatkietelende liefde niet kan worden gekocht, verkocht of uit iemand gechanteerd, wat anders ligt voor een vintage Prada-tas, een Aston Martin DB9 of toelating tot een elitaire Ivy League-universiteit. Als iemand je vriendje van je steelt, is er geen verzekeringspolis. Als je je vriendin kwijtraakt, is er geen magische oplossing om haar terug te krijgen. Tenslotte is de liefde een slagveld.

Toch zijn er veel manieren om een oorlog uit te vechten. Ik heb het tegen die zielige meisjes die de liefde op alle verkeerde plekken zoeken en daarvoor een bepaalde harige jongen achtervolgen alsof ze verdwaalde jonge eendjes zijn. Dames, een tip: laat twintig rozen met lange steel aan jezelf bezorgen tijdens school. Kijk tegelijkertijd verrast, blij en ontroerd als je het kaartje opent en verontschuldig jezelf meteen. Terwijl iedereen aanneemt dat je wegholt voor een middagje met een geheimzinnige vreemdeling, kun jij je onder je Frette-dekbed nestelen met een assortiment Payard-bonbons, en naar een van de volgende films kijken: *Dr. Zhivago, Casablanca* of *An Affair to Remember.* (Toekomstige relatiekarmapunten worden afgepakt voor het kijken naar *Titanic, Lady and the Tramp* en alle films met Hugh Grant in de hoofdrol). Twee uur later zul je het gevoel hebben dat iemand je op de juiste manier heeft geprobeerd te versieren. Bovendien fluistert iedereen over je geheime minnaar, wat betekent dat het slechts een kwestie van tijd is voordat er echt een opduikt.

Jullie e-mail

V: Lieve Gossip Girl:
Of moet ik Gossip Oma zeggen? Je bent zo duidelijk een van die oude vrouwen in die geheime vereniging die Constance min of meer in eigendom heeft. Je houdt waarschijnlijk vreemde offerrituelen met mevrouw M en de lunchdames. Ik neem aan dat ze je hebben geleerd hoe je een computer moet gebruiken, waarom zou je anders al die vreemde zinnen opschrijven en net doen alsof je zo slim bent. Waarom zet je je computer niet gewoon uit en strompel je naar de vroege-vogel-special in Elaine of waar jullie oude mensen altijd uithangen. Haha!
– JongEnPlezier

A: Lieve J.E.P.,
Een interessante theorie, maar ik ben zo jong als maar kan. Trouwens, hoe weet *jíj* waar alle oudjes uithangen?
– GG

V: Supergrote G,
Zwemteamveiling in aantocht. Met wie ben jij? Bied je op mij?
– Playa.

A: Lieve Playa,

Bedankt voor de uitnodiging. Ik geef de voorkeur aan impulsaankopen, dus ik ga op dit moment geen toezeggingen doen. Maar als je hebt wat ik zoek, trek ik mijn zwarte AmEx-kaart misschien wel tijdens het liefdadigheidsbal.

– GG

PS Ik neem aan dat ´supergrote G´ slaat op mijn karakter? Ik ben namelijk nogal klein.

Gezien

R, die een extra grote picknickmand koopt bij **Dean & DeLuca** en die vult met truffel-foie gras, een Gruyère-eieren-quiche, zwartwitte chocoladekoekjes, Franse bitterkoekjes en mokkatruffels. Soms kan suiker inderdaad een gebroken hart genezen... als het niet eerst een diabetische coma veroorzaakt. **J** en **G**, die verschrikkelijk dronken worden tijdens de eendollarbieravond in een van die barretjes met kleverige vloeren waar niet om een legitimatiebewijs wordt gevraagd. Soms heb je een pauze nodig van de fluwelen touwen bij 1Oak of the Rusty Knot! **B** en haar nieuwe vriendin, de gepiercete, getatoeërde **S**, die achtervolgd door bewakers naakt door de leeszaal van de New York City Public Library rennen. Geweldige... kwaliteiten, dames. **A** met haar nieuwe hartsvriendinnen **J** en **S.J.**, gin-limecocktails drinkend op haar terras... en **O**, die zich probeert te verstoppen voor **S.J.** en **J**. Waarom zo verlegen? Ze voelen de liefde gewoon. Doen we dat niet allemaal? **H**, **J**, **K** en een paar andere met gezichtshaar bedekte zwemteamleden in **Jackson Hole**, fluisterend over een teamlid boven hun vette cheeseburgers. Blijkbaar is het woord ´oriëntatie´ gevallen. Hm. Komt er een nieuwe bij het team?

Goed, het is tijd om koers te zetten naar David Burke & Donatella, waar ik een extragrote warme chocolademelk bij het raam drink en iedereen spot die een discreet tripje naar H&M maakt. Leuk geprobeerd. Ik hou je in de gaten!

Je weet dat je van me houdt,

gossip girl

8

O wordt geaccepteerd door het team

Owen had het gevoel dat zijn hart zou exploderen toen hij op donderdagavond achter het Met rende. Kats appartement lag aan Fifth Avenue, en zelfs vanaf zijn positie in het park kon hij de doorschijnende lila gordijnen in de septemberbries zien wapperen. Hij rende langs Cat's Paw Hill, waar de coach een verplichte conditietraining had voorgeschreven. Tientallen recreatieve joggers en fietsers dromden om hem heen op het tien kilometer lange pad rond het park. Terwijl de vijfde in banaangeel spandex gestoken fietser langsflitste, verhoogde Owen zijn snelheid. Het zwemteam van St. Jude was een serieuze aangelegenheid en Owen was blij dat hij elk moment dat hij wakker was kon besteden aan fysieke activiteit. Hij wilde alleen dat hij een ander sóórt fysieke activiteit deed.

In je dromen! In de mijne ook.

Op dat moment voelde hij een hand op zijn rug slaan.

'Hé,' riep hij verbaasd.

'Dude, dat ziet er goed uit!' riep Hugh spottend terwijl hij naast Owen kwam rennen.

'Eh, dank je,' anwoordde Owen.

'O, ik had het niet over jou,' verontschuldigde Hugh zich. 'Ik bedoelde die meiden daar.' Hij knikte naar twee meisjes die langsrenden in strakke Seaton Arms-hemdjes.

'Wat vind je van ze?' Hugh streelde over zijn baard – geen gemakkelijke prestatie tijdens het rennen. De beweging zorgde er altijd voor dat hij er verrassend diepzinnig uitzag, alsof hij eerder over Sartre en Hegel dan over bh-loze meisjes praatte.

'Ga ervoor,' antwoordde Owen vaag. De laatste tijd kon hij zichzelf er niet eens toe brengen om zich op meisjes die pal voor zijn neus stonden te concentreren. Misschien moest hij maar een monnik worden.

'Ik vind je haarband gaaf,' zei Hugh vriendelijk. Hij knipoogde naar de Seaton Arms-meisjes terwijl hij vaart maakte om ze te passeren.

'Dank je.' Owen schoof de verbazingwekkend comfortabele badstof haarband goed. Hij had hem uit Avery's badkamer gepakt om zijn haar uit zijn gezicht te houden. Ze droeg zo'n ding als ze een van haar smerig uitziende moddermaskers opdeed. Hij rilde, de septemberwind was plotseling koud op zijn transpirerende, shirtloze borstkas.

'Luister, ik heb het er met de jongens over gehad, en het is oké, dude. Praat er gewoon met ons over. Hoe vind je hem bijvoorbeeld – leuk, niet?' Hugh gebaarde met zijn elleboog naar een jongen met een oranjebruine teint die in een paars worstelaarspakje trainde.

'Wat?' vroeg Owen verward. Owen wist dat Hugh flessen Gatorade mengde met veel wodka om het eind van de vrijdagmiddagtraining en het begin van het weekend te vieren, maar mischien had hij zijn flessen verwisseld. Of wist Hugh iets over Kelsey en hem? Owen versnelde en zag Chadwick alleen in een Speedo de heuvel op worstelen. Op de achterkant van zijn Speedo stonden in viltstift de woorden JE WILT ME. Hij zag eruit alsof hij op het punt stond een hartaanval te krijgen.

'Ziet er goed uit!' riep Owen aarzelend naar de ongelukkige derdejaars.

'Ik weet wel wie hem wil,' zei Hugh spottend terwijl hij Owen met gemak inhaalde. Samen sprintten ze de laatste vijfhonderd meter naar de coach, die op de kruising bij Seventy-second

Street stond. Ondanks zijn zorgwekkende alcoholische neigingen was Hugh behoorlijk goed in vorm.

De coach stond op de trap die naar de Bethesda-fontein leidde. Hij probeerde een vrouw te versieren die stretchte in een strakke spandex short en een paars hemdje.

'En, vind jij dat de coach er goed uitziet?' vroeg Hugh terwijl ze samen naar de trap liepen.

'Ik denk het.' Owen haalde zijn schouders op. Hij had er nooit echt over nagedacht.

'Dat is dus je type?' vroeg Hugh terwijl hij zijn duim naar de coach opstak. De coach zwaaide terwijl hij zijn hand op de onderrug van de vrouw plaatste, heel dicht bij haar kont.

Hij helpt haar natuurlijk stretchen.

'Hè?' Owen keek naar Hugh. Had hij te lang in de zon gezeten?

'We zitten in hetzelfde team, maat.' Hugh knikte veelbetekenend. 'Nou ja, niet dát team, maar ik ben er voor je. We kunnen elkaar omhelzen als je dat wilt,' bood hij aan. Owen staarde hem verward aan.

'Man, ik heb geen idee waar je het over hebt,' zei Owen uiteindelijk terwijl ze de trap af liepen. De andere jongens van het team waren ook klaar met hun training en liepen rond, in de hoop dat de meisjes die in Malia Mills-bikini's lagen te zonnen naar ze keken. Eigenlijk was het een beetje te koud voor een bikini, en de meisjes hadden allemaal zichtbaar kippenvel op hun vervagende bruine buiken.

'Dit vraagt om versterking. Hé, mannen!' riep Hugh. Een paar meisjes die langsliepen keken nieuwsgierig toe terwijl de jongens rond Owen zwermden. 'Oké, we moeten met je praten,' ging Hugh verder. Hij genoot er duidelijk van dat hij in het middelpunt van de belangstelling stond. 'We hebben erover gepraat, en we vinden het niet erg dat je homo bent.'

'Jullie vinden... wat? Ik ben geen homo!' stamelde Owen

luidkeels, waardoor nog meer mensen zich omdraaiden om naar ze te staren. Hij keek naar zijn teamleden, voor het geval dit een of andere vreemde pesterij was, maar niemand leek te lachen. In plaats daarvan keken ze naar hem met wijd opengesperde ogen, alsof ze hem nog nooit hadden gezien. Twee jongens, die de trap die naar de fontein leidde af liepen en elkaar hapjes van hun ijsje gaven, keken over hun schouders en zwaaiden.

'Ik ben geen homo,' herhaalde Owen geërgerd, zo hard dat ze het konden horen. Zelfs de coach had de stretchende vrouw in de steek gelaten voor dit gesprek. Owen voelde zich als een gekooid dier in de dierentuin. Zijn oren werden vuurrood. Rhys weigerde hem aan te kijken.

'Man, neem je jezelf in de maling?' Ken Williams kwam overeind en sloeg een lange, zweterige arm rond Owens schouders. Hij zag eruit als een houthakker, of Paul Bunyan. Het enige wat ontbrak waren de overall en een blauwe os. 'Mijn zus heeft je een paar weken geleden in de gaten gehouden op het feestje van je zus. Je negeerde haar en alle andere meisjes compleet. Je hebt nooit een meisje. Nooit,' voegde hij er ondubbelzinnig aan toe.

'Hé, Carlyle.' De coach blies op zijn fluitje, waardoor nog meer mensen zich omdaaiden en staarden. 'Ik ben gek op variatie!' zei hij hardop terwijl hij in het rond keek, blijkbaar in een poging om te peilen of zijn gevoelige benadering de aandacht had gewekt van de vintagekleding-en-Converse-dragende meisjes die op een nabijgelegen trap zaten.

'Maar... ik ben geen...' stamelde Owen. Hij had niets tegen homo's, maar hij was zo absoluut heteroseksueel dat het niet eens grappig was. In Nantucket was er nooit een week voorbijgegaan zonder dat hij een meisje had gezoend. Hij had er een reputatie voor. Maar hier was alles anders. Hij was zijn playerige zelf niet, en niemand had hem met meisjes zien praten, zelfs niet met Kelsey. Terwijl hij naar zijn teamgenoten keek, leek het zinloos om zelfs maar een póging te doen om ze op andere gedachten te brengen. Wat moest hij zeggen? Dat hij geen homo was, maar dat hij verliefd was op een meisje en dat dat supergeheim was? Owen zuchtte gefrustreerd. Het was zinloos. De teamleden hadden de cirkel verbroken en praatten nu in groepjes van twee of drie met elkaar.

'Ik vind het ultragaaf! En zwemmen, dude? Je zult de leden van de teams waartegen we zwemmen van je af moeten slaan. En als dat niet zo is, dan heb je in elk geval een hoop te zien, nietwaar? Dat is hetzelfde als dat ik een kleedkamerbewaker van Seaton Arms of zoiets zou zijn, toch?' Hughs ogen begonnen alleen al bij de gedachte te stralen. Owen schudde zijn hoofd verdoofd. Zijn leven was al ingewikkeld genoeg. Hij had dit niet nodig.

'Hé, cool man! We moeten gewoon een leuke knul voor je vinden.' Rhys knikte naar hem en glimlachte stijfjes. Dus Owen was homo. Dat was niet erg. Ze zouden gewoon... samen voor hem op zoek gaan.

Owen slikte moeizaam en keek naar de anderen. Ze leken allemaal heel gelukkig met zijn homoseksualiteit. Misschien was het niet zo slecht. In elk geval hoefde hij zich geen zorgen te maken dat iemand erachter zou komen wat hij voor Kelsey voelde. Op een bepaalde manier was het de perfecte dekmantel.

Op dat moment passeerde een man in een superstrakke blauwe spandex die in de buurt had gestaan. Hij gaf Owen een stukje papier. Er stonden een haastig gekrabbelde naam en telefoonnummer op. De man knipoogde en rende toen weg.

Eh, misschien is het toch niet zo'n geweldige dekmantel.

Drie is te veel

Avery kwam op donderdag na school uitgeput het penthouse van de Carlyles op de zeventiende verdieping binnen. Ze was net terug van een van die belachelijke toezichthoudersvergaderingen, dit keer in het Goodman Café in Bergdorf, waar ze verder waren gegaan met de marineblauw-versus-nachtblauwdiscussie. Geen wonder dat de uniformen niet waren veranderd sinds Avery's moeder op Constance had gezeten. Tussen de doorlopende discussie over de geschiktheid of ongeschiktheid van nachtblauwe rokken, had Avery meer gehoord dan ze ooit hoefde te weten over de verschillende mogelijkheden van plastische chirurgie (die Muffy 'opfrissers' noemde). De oude vrouwen hadden in haar geprikt en gepord, terwijl ze, alsof ze handlezers waren, probeerden te bepalen waar ze precies rimpels zou krijgen. Er hing nog steeds een zweem van de oudevrouwengeur van babypoeder, Creed's Fleurissimo, en muf, hard snoep aan Avery.

'Iemand thuis?' riep Avery. Haar stem echode in de zitkamer, die nog steeds leeg was, op een paar ultramoderne Jonathan Adler-fauteuils en een lage bank na. Ze haalde haar neus op. Ze had gehoopt dat ze in oma Avery's huis in Sixty-first tussen Madison en Park zouden gaan wonen, maar de advocaten die het huis taxeerden woonden er zowat. Nu ze voor de nabije toekomst op dit appartement waren aangewezen, moest het in elk geval behoorlijk ingericht worden. Ze hoorde het geluid van

Edies boeddhistische monotone gezang uit haar studio komen. 'Hallo?' riep ze weer. Ze wilde met iemand praten, bij voorkeur een normáál iemand.

En rimpelvrij?

'Buiten!' hoorde ze Baby roepen. Avery deed haar saaie zwarte kasjmieren Lord Piana-vest uit en gooide het achteloos op de bank. Hun kat, Rothko, miauwde verontwaardigd, sprong van de bank en wreef met zijn zwart-witte vacht tegen Avery's blote been.

'Hallo, poes,' mompelde ze. Ze bleef even staan en begroef haar gezicht in Rothko's zachte vacht. Ze was nog nooit in haar leven zo moe geweest. Ze liep de donkere keuken in en trok de kasten open. Haar moeder had een veganistische organische winkel in Brooklyn gevonden en had voldoende spelt en muesli ingeslagen om een voorraad te hebben tot de drieling naar de universiteit ging. Gelukkig had Avery Edies creditcard gebruikt om een bestelling bij een FreshDirect te plaatsen. Nu waren de kasten vreemd schizofreen: naast bruine in karton verpakte spelt stonden blikjes gerookte oesters, Carr-kaakjes, en alle variaties van Pepperidge Farm-koekjes die er waren. Ze trok een pak Milano-muntkoekjes uit de kast en liep naar het terras. Ze had suiker nodig.

Hoe is het met de bitchenbrigade?' Baby lag in de hangmat die ze op het terras had opgehangen zodra ze hier waren gaan wonen. Soms sliep ze zelfs buiten. Ze droeg nog steeds haar Constance-rok, maar met een flinterdun C&C California-hemdje dat Avery uit haar eigen kast herkende, en een arm vol brede armbanden. Baby zag er cool uit zonder er moeite voor te doen, wat ongelofelijk oneerlijk was omdat Avery altijd overal voor moest werken: haar uiterlijk, haar cijfers, haar populariteit. Maar zelfs al was Baby mooi, ze was er nooit bitchy over. Eigenlijk behandelde ze haar uiterlijk, en de onvermijdelijke reacties van de mensen om haar heen, als een kleine irritatie. Het was niet speciaal, het wás er gewoon.

Hm, heel existentieel. Dus als ze mooi is maar er is niemand om het te zien, bestaat haar schoonheid dan nog steeds?

'Dus?' drong Baby aan. 'Hoe was het om te chillen met de oudjes?'

'Het was... interessant,' zei Avery aarzelend. Ze wilde Baby niet vertellen hoe vreselijk de vergaderingen waren. Baby zou het ontzettend grappig vinden en dat zou Avery heel erg deprimeren. En helaas kon ze de positie niet opzeggen. Dat zou een inktzwarte vlek op haar Constance-reputatie zijn. 'Hoe is het met jóú? Ik heb het gevoel dat ik je eeuwen niet heb gezien. Schuif eens op.' Avery duwde Baby's slanke, bruine benen uit de hangmat zodat ze naast haar kon zitten. Ze staarde naar de roze-oranje zon die boven het Central Park onderging. Vanaf het moment dat ze naar New York waren verhuisd, hadden de twee zusjes niet veel gepraat. Baby had het altijd druk met J.P. en Avery was er nog steeds verbitterd over dat ze bijna was gearresteerd toen ze haar broer en zus probeerde te helpen door ze in contact te brengen met hun gelijken in New York. Niet alleen was Baby helemaal niet komen opdagen op haar feest, maar nu rende ze rond met Jacks ex-vriendje. Waarom moest Baby een vriend krijgen – het vriendje van iemand ánders – en alles zo ingewikkeld maken? Vooral nu Jack en Avery vriendinnen aan het worden waren.

'Goed. Ik denk dat ik zo naar J.P. ga. Ik weet niet goed wat we gaan doen, maar ik ben druk bezig geweest met dingen voor *Rancune*, dus ik heb hem afgelopen week niet zo vaak gezien. Daar voel ik me nogal rot over.' Baby knipperde lui met haar grote bruine ogen naar haar zus.

'Weet je, misschien zou het beter zijn als jij en J.P. een tijdje niet zo dúídelijk iets hebben. Misschien moet hij je bijvoorbeeld niet van school komen halen. Ik vind het een beetje zielig voor Jack.' Avery groef met haar hand in de zak Milano's. Ze snakte naar junkachtig, niet-subtiel, on-theepartijachtig voedsel.

'Ik denk dat het niet uitmaakt. Ze weet dat ik verkering met J.P. heb, dus het is geen groot geheim,' antwoordde Baby. Was Avery vergeten wat een enorme bitch Jack tegen ze was geweest? Trouwens, ze had J.P. tenslotte niet gestólen, dingen waren gewoon... gebeurd. 'Je begrijpt het niet.' Baby duwde Avery met haar dunne maar verbazingwekkend sterke benen uit de hangmat.

'Wat bedoel je ermee dat ik het niet begrijp?' vroeg Avery koel terwijl ze opstond. Ze haatte het als Baby haar superieure stem opzette, alleen omdat ze lange relaties had gehad en Avery... nou ja, niet. Ze was een beetje ongerust over dat mankement in haar verleden. Op de een of andere manier liep het nooit lekker tussen haar en jongens. De eerste keer dat ze in de tweede klas tijdens een schoolreisje naar Boston met een jongen had gezoend, eindigde het ermee dat ze zijn voortand per ongeluk uit zijn mond had geslagen. Het was heel vernederend geweest en een verhaal dat haar sinds die tijd achtervolgde. Gelukkig kende niemand in New York dat verhaal. Hier zou het allemaal anders zijn. In New York was alles mogelijk.

Vooral op het gebied van de liefde.

Ze liet zich naast de hangmat op de grond vallen en trok haar knieën tegen haar borstkas. De zak koekjes was al half leeg. Scones waren zó vorig millennium.

'Het spijt me. Ik denk niet dat het verkeerd was dat J.P. en ik iets met elkaar kregen. Soms gebéúren relaties gewoon. Maar het is moeilijk om het aan jou uit te leggen, omdat jij gelukkig bent in je eentje. Je bent...' Baby zweeg even terwijl ze naar de juiste vergelijking zocht. 'Je lijkt een beetje op een panda.' Baby klonk zo precies als hun moeder dat Avery wilde gillen.

'En jij lijkt op een idioot. Wat wil je daarmee zeggen?' zei Avery koel. Een panda? Wat bedoelde ze daar verdomme mee? Dit moest een zusterlijk bindend moment zijn, maar het enige wat ze nu nog wilde, was de deur weer uit lopen en afspreken met Jack en Genevieve en Jiffy en iedereen die normáál was. Misschien konden ze vanavond elkaars kledingkasten plunderen, zich verkleden in fantastische Valentino-jurken en tot diep in de nacht gaan dansen in een nieuwe coole club in het Meatpacking District. Zo had ze zich het leven in New York altijd voorgesteld. Maar tot nu toe hadden ze alleen rondgehangen op de trap van het Met of in Jiffy's donkere appartement.

'Het is niet erg om een panda te zijn!' Baby giechelde en liet zich weer op haar rug vallen, als een soort tweebenige forel. 'Ze zijn enorm onafhankelijk, net als jij. Je weet wat je wilt en daar laat je jongens niet tussen komen. Ik ben meer een...' Baby zweeg nadenkend.

'Een kreeft?' stelde Avery opstandig voor.

'Trouw voor het leven? Ik weet het niet. Misschien, het zou kunnen.' Baby knikte vrolijk en giechelde weer. Op de een of andere manier verdween de spanning en Avery glimlachte naar haar magere, filosofische zus.

Baby glimlachte en pakte drie koekjes. Ondanks haar hang naar natuurlijke producten had Baby een enorme behoefte aan suiker en kon ze met gemak een heel pak koekjes opeten als ze dat wilde. Zonder dat ze ook maar een gram aankwam.

Haat haar niet omdat ze een mager varken is.

'O, man, wat een dag,' kreunde Owen. Hij liep het terras op in een gekreukte A&F-cargobroek en zonder shirt. Hij zag er verbrand uit, en zijn karakteristieke zorgeloze gezichtsuitdrukking leek bezorgd en gespannen. Zijn zusjes keken meelevend naar hem.

Baby gaf hem de Milano's. Toen ze jonger waren hielden ze altijd sneleetwedstrijden, die Baby meestal won. Baby glimlachte bij de herinnering. Het leven was toen zo eenvóúdig geweest. 'Wat is er? Uitgeput door je achtervolgsters?' plaagde ze terwijl ze ruimte voor hem maakte in de hangmat. Owen negeerde de vrije plek en deed alsof hij boven op haar ging zitten.

'Owen, niet doen!' krijste Baby. Avery glimlachte. Het was fijn om hier met z'n drieen te zitten, zonder oude vrouwen en gemene Constance-meiden en overspelige vriendjes.

Ik weet zeker dat hij er hetzelfde over denkt. Vooral over het vriendjesdeel.

'Mijn achtervolgsters...' Owens stem stierf weg.

'Alle meiden die achter je aan zitten, gekkie. Maar serieus, heb je al iemand? Want weet je, Jiffy vind je echt heel leuk en ze laat haar pony groeien,' zei Avery.

'Ik heb niemand op het oog,' loog Owen. Hij had ze niet over Kelsey verteld. Ten eerste omdat het gewoon heel ordinair leek om seks met een onbekend meisje op het strand te hebben. En toen hij naar New York kwam, was alles zo ingewikkeld geworden, en nu was het zelfs moeilijk om te bedenken waar hij moest beginnen. Hij wist niet zeker of hij ze moest vertellen over die hele homo-toestand, of dat ze hem gewoon belachelijk zouden maken.

Natuurlijk niet, welke broer of zus zou dat ooit doen?

Op dat moment liep Edie het terras op, met twee boeddhistische klokkenspellen aan haar polsen bungelend. 'Halloooo, liefjes van me!' riep ze terwijl ze een kus naar elk van haar kinderen blies. 'Waar hebben jullie het over?'

'Niets,' zeiden ze alle drie op hetzelfde moment.

Edie ging in de hangmat zitten en de antiek ogende koperen belletjes klingelden luid tegen elkaar. Weet je, alles gaat hier zo goed voor jullie.' Ze keek als een trotse moederkip naar haar kinderen. 'Ik was aan het denken – zullen we een etentje geven? Jullie kunnen jullie vrienden uitnodigen en ik de mijne. Het wordt fantastisch!'

Avery knikte benauwd. Ze hield van haar hippieachtige moeder, maar ze wist niet zeker of ze er klaar voor was om haar vriendinnen van Constance aan haar voor te stellen.

'Wat denken jullie van volgende week vrijdag? Ik wil echt dat dit appartement als een thuis voelt. Misschien kunnen we met zijn allen een gezamenlijk kunstproject doen!' peinsde Edie. De klokjes sloegen tegen elkaar toen ze opstond en weer naar binnen zweefde. Owen haalde zijn schouders op en Baby rolde met haar ogen, maar Avery voelde een koude knoop van angst in haar maag.

Stel je niet aan. Iedereen houdt van een feest.

Notities van de Radicale Respons

Baby en Sydney giechelden ademloos in een taxi die op vrijdagavond in de richting van Lower East Side reed. Ze kwamen net terug van hun laatste avontuur met Radicale Response in de Union Square Whole Foods, waar de groep als opdracht had gekregen om zich tegenover de caissières als groupies te gedragen. Baby droeg een zwarte onderjurk die ze in Avery's kast had gevonden, netkousen, en Christian Louboutin-enkellaarsjes waar Avery beslist woedend over zou worden als ze zich realiseerde dat ze verdwenen waren. Alles bij elkaar genomen leek Baby erg op een jonge vrouw uit de jaren twintig die een domina wil spelen.

Miauw.

'Hier moeten we eruit,' commandeerde Sydney terwijl de taxi in Houston Street met gierende remmen tot stilstand kwam. Baby stapte uit de taxi op de smerige stoep. Ze voelde zich een beetje schuldig omdat ze J.P. voor vanavond had afgezegd. Gisteravond hadden ze zijn honden uitgelaten en daarna hadden ze een film gekeken in de enorme filmzaal van de Cashmans, maar ze waren niet uit geweest sinds ze officieel een stel waren. Hij had naar de bioscoop willen gaan om een Franse film te zien die fantastische recensies in *The New Yorker* had gekregen. Normaal gesproken hield Baby van dat soort vage films, maar ze had het idee dat hij het alleen voorstelde omdat hij haar gelukkig wilde maken. Bovendien, zei ze tegen zichzelf, móést ze dingen voor

Rancune doen om op Constance te mogen blijven.

Baby en Sydney renden samen over straat en zigzagden langs de huizenblokken aan de oneven kant van de straat, passeerden winkelpuien met metalen traliewerk die niet op hun plaats leken tussen de clubs met de fluwelen koorden. Lower East Side was een van Baby's grootste teleurstellingen geweest toen ze een maand geleden naar New York verhuisde. Ze had verwacht dat de wijk heel stedelijk en gedurfd zou zijn, maar in plaats waren er overal barretjes die te veel hun best deden om er vanbinnen obscuur uit te zien, maar net als overal fluwelen koorden en fotografen voor de deur hadden.

'Ik weet niet of ik uit wil gaan...' begon Baby. Misschien moest ze gewoon terug naar J.P. Ze bracht liever tijd met hem door dan naar een warme, onaangename bar te gaan.

Sydney leek haar niet te horen. Ze liep een smerig afhaalrestaurant in. SUPAR MEXICAANS, CHINEES EN SUSHI! stond er op een groot kartonnen bord dat in het raam was gezet.

Dat klinkt, eh, supar.

'Ik heb tegen Webber gezegd dat we hem hier zouden ontmoeten, goed?' Sydney trok haar wenkbrauwen uitgelaten op.

'Ik heb niet zo'n honger...' Baby's stem stierf weg terwijl ze het kleine, groezelige afhaalrestaurant in liepen. Er lag een smerig geplastificeerd menu op de gebarsten formica balie. Achter de balie roerde een man in een pan met een niet te identificeren bruine substantie, zijn samengegroeide wenkbrauwen gefronst. Baby hield helemaal niet van pretenties, maar ze trok een grens bij raadselachtig vlees.

'Ik ga eerst –jij volgt, goed?' Sydneys stem stierf mysterieus weg terwijl ze een deur opentrok en iets binnenstapte wat een bezemkast leek. Met het idee dat ze niets te verliezen had, liep Baby achter haar aan. Het bleek de uitgang naar een steeg te zijn.

Wat had ze verwacht? Oz? Narnia?

Sydney speurde de lege steeg af en stevende autoritair naar

een industrie-achtige metalen deur. Ze klopte drie keer. Baby stond zenuwachtig achter haar. Was dit de inwijding in een soort sekte of zo?

De deur ging open, en ze zagen een klein meisje dat helemaal in het zwart was gekleed en een klembord vasthield.

'Naam?' vroeg ze.

'Ik ben hier voor Webber,' zei Sydney zelfverzekerd. Het meisje deed de deur open, en ze werden naar een donkere, met hout beklede, ondergrondse bar gebracht. Baby liet haar adem verbaasd ontsnappen. Een geheime bar? Wat cool! Dít was het New York dat ze had verwacht. Aan de muur hingen vintage KGB-achtige posters en een dj speelde bhangra-trancemuziek. Baby had het gevoel dat ze een of andere clandestiene kroeg in de jaren twintig was binnengestapt, of een bar met intellectuele dissidenten in communistisch Rusland.

Kan allebei.

'Is dit niet fantastisch?' mompelde Sydney, die de menigte afzocht naar Webber. Ze stond op haar tenen in haar Doc Martens. De bar was vol, maar niet met de kakibroeken dragende, conventionele losers die normaal gesproken rondrenden alsof ze New York bezaten.

Alle losers behalve haar kakidragende conventionele vriendje, natuurlijk.

'Hé, sexy bitch.' Webber stond ineens achter Sydney en beet zachtjes in haar nek. Baby keek de andere kant op. Het was vreemd om een jongen die Webber heette te zien vrijen met haar vriendin.

'Hé, lover.' Sydney kuste hem en plotseling voelde Baby zich alleen. Ze liep naar de bar, weg van de Radicale Response-mensen. Er zweefde een rookwolk boven haar en ineens had ze voor het eerst echt trek in een sigaret, terwijl ze anders nauwelijks rookte. Hoewel ze in Nantucket af en toe wiet had gerookt, gaf ze er de voorkeur aan haar longen schoon te houden. Nu wilde ze echter de stad in al zijn kankerverwekkende glorie inhaleren.

Ze liet zich op een hoge houten stoel vallen. De jongen naast haar was lang en slank, met krullend bruin haar en een hemelsblauw T-shirt waarop iets in het Spaans geschreven stond. Ze herinnerde zich vaag dat ze hem bij de Whole Foods-manifestatie had gezien. Hij had op de groente-en-fruitafdeling de hele tijd enthousiast in de meloenen geknepen voordat hij ze aan de klanten gaf. Hij dronk een groot glas met een vloeistof die op water leek en keek omhoog naar de handgeschreven lijst met biersoorten boven de bar.

'Hoi, mag ik er een?' vroeg ze brutaal terwijl ze naar het pakje sigaretten wees dat naast hem op de glibberige bar lag.

'Natuurlijk.' Hij bestudeerde haar gezicht en Baby glimlachte. 'Ik heb je al eerder gezien,' zei hij verlegen. Hij pakte een sigaret, stopte hem in zijn mond, stak hem op en blies een dun straaltje roze rook uit.

'Sobranies,' legde hij uit terwijl hij haar er een aanbood. 'Ze zijn uit Rusland. Ik gebruik ze om indruk op de vrouwen te maken,' zei hij spottend. Baby keek naar hem. Ze wist niet zeker of hij haar in de maling nam. 'Of je moet iets sterkers willen?'

Baby schudde haar hoofd. Nadat ze verkering had gehad met een losgeslagen blower, had ze er geen behoefte aan om díé ervaring binnenkort te herhalen.

'Mooi.' Hij glimlachte en pakte zijn glas. 'Hoe heet je?' vroeg hij met een lichte zweem van een Spaans accent, alsof hij net van een jacht in de Maladiven was gestapt.

'Baby.' Ze glimlachte naar hem en stak haar tengere hand uit. Het was zo cool om eindelijk meer mensen te ontmoeten.

Wat aardig!

'Dat is mooi. Hij legde zijn hand rond haar kleine kin en keek haar met zijn tequilakleurige ogen aan. Het was een gebaar dat Baby het gevoel gaf dat ze werd gekeurd als een renpaard. Ze trok haar gezicht weg, nam een flinke trek van de sigaret en begon te hoesten. 'Verdomme!' Ze snakte naar adem, greep zijn glas en nam een slok.

'Dit is pure wodka!' riep ze terwijl ze het vocht van haar kin veegde en hij op haar rug sloeg.

'Is alles in orde?'

Baby knikte en nam nog een slok wodka, langzamer dit keer. Ze haalde zorgvuldig adem.

'Ik ben Mateo,' zei hij. 'Uit Barcelona. Ben je daar wel eens geweest?'

'Nee.' Baby keek om zich heen om te zien waar de rest van de RR-groep was. De meesten zaten bij elkaar in een hoek. Ze dronken grote glazen bier en deden een soort drinkspel waarbij kledingstukken moesten worden uitgetrokken, verhandeld en anders gebruikt. Sydneys jurkje was kunstig als een tulband om het hoofd van een van de jongens gewikkeld en Sydney en Webber waren aan het vrijen in de hoek.

'Ik ben nooit in Barcelona geweest,' lichtte Baby toe, terwijl ze roze rook naar het stalen, industriële plafond blies. Hij zat waarschijnlijk op de universiteit, vermoedde ze. Ondanks haar hippie-vrijbuitersbestaan had ze nooit veel gereisd, behalve die ene keer dat Avery en zij een week met oma Avery naar Parijs waren geweest. Dat was het cadeau voor hun dertiende verjaardag geweest. Baby had de hele tijd geprobeerd om per ongeluk expres te verdwalen in de artistieke wijk Monmartre, terwijl Avery en oma Avery middagenlang hadden gewinkeld bij Chanel en Givenchy en kir royale hadden gedronken in te dure cafés langs de Seine.

'Je moet meegaan. Je zou het fantastisch vinden. Je ziet eruit als een meisje dat wel wat avontuur kan gebruiken.' Hij grijnsde, haalde een zilveren Zippo-aansteker uit zijn zak en klikte hem open om zijn eigen sigaret op te steken. 'Proost dan maar, op avonturen,' zei hij terwijl hun sigaretten onbeholpen tegen elkaar aan botsten.

'Waarom ben je hier?' vroeg Baby nieuwsgierig, terwijl ze nog een slokje van zijn wodka nam.

'De wind heeft me hiernaartoe gebracht.' Hij glimlachte.

'Weet je hoe dom dat in het Engels klinkt?' Baby rolde met haar ogen.

'Maar het is waar. Ik ben hier met mijn vriend Fernando naartoe gekomen. We hadden een verandering van omgeving nodig.'

Baby trok geïntrigeerd één donkere wenkbrauw op en nam nog een slokje van zijn wodka.

'Het zou gemakkelijker zijn om je eigen drankje te hebben, *no*?' zei Mateo plagerig. Hij gebaarde autoritair naar de barman, die een groot glas met wodka vulde en voor Baby neerzette.

'We hebben een afspraak,' ging Mateo verder. 'Elk moment, dag of nacht, kan een van ons bellen. We ontmoeten elkaar op het vliegveld met een paspoort en een tandenborstel en nemen de eerste vlucht hiernaartoe. We noemen het "een New Yorker doen". Ik heb hem vorige week gebeld en vanaf dat moment zijn we hier. Leuke stad.' Mateo grijnsde.

'Waar logeer je?' vroeg Baby onder de indruk. Onmiddellijk naar het vliegveld gaan met niet meer dan een tandenborstel? Dat klonk zo cóól.

'We slapen in een jeugdherberg. Bij vrienden. We maken vrienden.' Hij grinnikte. 'En, baby, wat is jouw verhaal?'

'Ik woon hier.' Baby haalde haar schouders op. Plotseling leek haar leven niet bepaald opwindend. Ze pijnigde haar hersenen om iets te zeggen wat haar niet liet klinken als een dom *high-school*-meisje. Het was vreemd – normaal gesproken stond ze nooit met haar mond vol tanden, maar Mateo's sexy Spaanse accent leidde haar af.

'Ik ben ook altijd op zoek naar avontuur,' zei ze uiteindelijk met een klein glimlachje rond haar lippen. Ze wist niet zeker of het door de wodka of de roze sigaretten kwam, maar ze voelde zich helemaal op haar gemak. Op dat moment klonk haar mobieltje luidkeels in haar vintage Chanel-tas, ook een vondst uit Avery's kast.

'Je vriend?' vroeg Mateo, terwijl hij naar haar tas knikte. Baby fronste haar voorhoofd en nam op.

'Hé, schoonheid, waar ben je?' vroeg J.P. Baby verstijfde en draaide zich weg van Mateo. Ze keek naar haar knieën en streek haar jurkje verlegen glad over haar blote huid. Ze haatte het dat hij haar altijd met 'schoonheid' of 'beauty' begroette. Ze wist dat de meeste meisjes het fantastisch zouden vinden, maar zij had het gevoel dat J.P. het zei omdat hij dat móést. Op een vreemde manier klonk het opgelezen.

'Ik... eh... ben bezig voor *Rancune*,' zei ze terwijl ze haar oor dichter tegen haar mobieltje duwde en hoopte dat hij de achtergrondgeluiden niet zou horen. 'We zijn in een bar om iets voor *Rancune* te fotograferen,' legde ze uit voor het geval hij het wel kon horen.

'O, je bent dus nog steeds bezig? Het klinkt alsof je op een bouwplaats of zo staat.' J.P. grinnikte. 'Maar goed, ben je snel klaar?' vroeg hij hoopvol. 'Ik kan bij Orsay reserveren. De chef-kok doet heel veel met biologische ingrediënten. Ik dacht dat je daarvan zou houden,' ging hij verder.

Baby herkende de naam van een van de te dure restaurants in hun buurt. Het laatste wat ze op dit moment wilde was in een saai restaurant zitten en luisteren naar de beschrijving die de ober gaf van het gerecht dat op haar bord lag. 'Sydney en ik moeten eigenlijk iets afmaken,' loog ze. 'Je moet de volgende keer gewoon meegaan. We maken een karakterschets van een krankzinnige improvisatiegroep,' bracht ze moeizaam uit terwijl ze zich steeds schuldiger begon te voelen.

Maar niet schuldig genoeg om te vertrekken...

'Jij bent de baas,' zei J.P. inschikkelijk. 'Ik zal je vanavond missen, schoonheid.'

Kus! Kus!

'Zie je wel, je hebt een vriend,' zei Mateo pesterig nadat Baby had opgehangen. Hij legde zijn hand vlak bij die van Baby.

'Ik ga waarheen de wind me brengt,' zei Baby geheimzinnig terwijl ze haar neus optrok. Ze flirtte niet, redeneerde ze. Ze deed gewoon research!

En we weten allemaal dat lekkere buitenlandse jongens de interessantste onderwerpen zijn.

11

De koningin

Op maandagmiddag smeet Jack haar Givenchy-schooltas op de ronde tafel van de Constance Billard-kantine en at de Griekse biologische yoghurt met maar twee procent vet, die ze bij de groezelige kruidenier helemaal in Second Street had gekocht. Haar yoghurt had verdomme vijf dollar gekost. Ze hadden vanochtend gehoord dat ze bij Engels een onaangekondigd opstel moesten maken over *Moby Dick*, wat niet bepaald ideaal was omdat Jack het afgelopen weekend helemaal niet in het boek had gelezen. Ze had alleen wat vage gedachten gehad over *Moby Dick*; een stomme titel voor een nog stommer boek over stomme walvissen. Ze hoopte tenminste dat het voornamelijk over walvissen ging. Haar opstel werd in elk geval een fiasco, wat betekende dat ze moest gaan praten met haar decaan, mevrouw Glos, die gevoelig was voor neusbloedingen, en haar moest vertellen dat ze emotioneel uitgeput was of dat ze het boek niet had gelezen omdat ze boos werd over de gewelddadige beschrijvingen van het harpoeneren van walvissen. Ze had nog niet besloten welke van de twee het werd.

'Hoi.' Jiffy ging naast haar zitten terwijl ze haar veel te lange pony uit haar bruine ogen veegde. Haar blad was beladen met roodbruine, vette patat, die reflecteerde in het licht van de gedimde kantinelampen. Jacks maag rommelde luid en ze zuchtte geïrriteerd. Waarom was ze niet zoals die meiden die hun eetlust kwijtraakten als ze gespannen waren? Ze pakte gulzig twee patatjes.

Jiffy duwde zwijgend het bord met haar met Chanel Midnight Satin gelakte hand naar Jack toe. Midnight Satin was zó vorig seizoen, maar Jiffy was het soort meisje dat vasthield aan trends tot ze gestorven waren. Omdat haar ouders in het bestuur van bijna elke filantropische organisatie in New York zaten en haar tweeëndertigjarige zus een van de populairste leden van de beau monde in de partyscene was, kwam ze daarmee weg.

'Je mag de rest hebben – ik heb niet zo'n honger,' zei Jiffy met een zucht.

Genevieve en Sarah Jane kwamen aanlopen en gingen zitten. Genevieve gaapte luid. 'Er moet iets gebeuren,' verkondigde ze.

'We hebben het feest van St. Jude,' zei Jiffy opgewekt terwijl ze Jacks patatconsumptie als een havik in de gaten hield. Omdat ze bijna als enig kind was opgegroeid, neigde ze nogal naar bezitterig gedrag. 'Mijn zus denkt dat het veel aandacht van de media zal krijgen.' Jiffy's ogen glansden. 'Misschien kunnen we naar Barneys gaan om een jurk te zoeken? Of misschien Bergdorf?'

Plotseling maakte Jiffy een sprongetje, terwijl ze een pijnlijk gezicht trok alsof ze geschopt was. 'Au!' jammerde ze tegen Genevieve. Daarna keek ze met een schuldbewuste blik naar Jack. 'Eh, eigenlijk heb ik niets nodig. Misschien kunnen we gewoon... na school afspreken?' eindigde ze armzalig.

'Of, als je iets nodig hebt, Jack, kunnen we altijd naar de modekast van *Bella* gaan,' bood Sarah Jane aan. *Bella* was het belangrijkste modetijdschrift en haar moeder was de uitgeefster. 'Dat merkt niemand. En als ze het wel merken krijgt de een of andere assistent gewoon de schuld.' Sarah Jane haalde haar schouders op, pakte haar Prada-bril met zwart montuur van haar hoofd en keek ernaar.

Wát? Jacks ogen vernauwden. Sinds wanneer bood Sarah Jane modekastprivileges aan? Jack staarde naar Genevieve, die plotseling bijzonder verdiept leek in haar weerspiegeling in een van de spiegelende muren van de kantine.

Plotseling wist ze het: Genevieve had iedereen verteld dat Jack een armoedzaaier was. Wat een bitch, dacht Jack woedend.

'Dank je,' zei Jack met een stem die droop van het sarcasme. Ze keek de tafel rond, maar niemand wilde oogcontact met haar maken. Sarah Jane pakte haar yoghurtbakje om de voedingswaarde te bekijken terwijl Jiffy doelloos met een patatje speelde. Keken ze niet eens meer naar haar? Ze moest onwillekeurig aan *Moby Dick* denken. Misschien was het niet zo'n slecht idee om op een boot te stappen en naar het midden van de oceaan te varen. Ze zou zo bruin en slank worden dat iedereen heel jaloers zou zijn, ook al was ze een armoedzaaier. 'Hartelijk bedankt, Genevieve. Ik kan niet geloven dat je het ze verteld hebt.'

'Jack, je overdrijft. Ik vond gewoon dat ze het moesten weten. Echt, er is helemaal geen reden om er zo'n drama van te maken.' Genevieve zuchtte geïrriteerd. 'Als ik drama wil, ga ik gewoon naar Les Deux in LA.' Genevieve greep elke gelegenheid aan om over LA te zeuren, maar daardoor klonk ze onvermijdelijk als Joan Crawford of een andere actrice van een miljoen jaar oud die het verdwijnen van het oude Hollywood betreurde.

'Bovendien heb ik genoeg van Barneys,' zei Jiffy terwijl ze een beetje glimlachte. Jack voelde dat haar irritatie verdween.

'Ja, natuurlijk.' Sarah snoof ongelovig.

'Echt waar!' jammerde Jiffy terwijl ze haar haar op niet-aanwezige gespleten punten controleerde. 'We zijn toch je vriendinnen?' vroeg Jiffy aan Jack. Het was een eerlijke vraag en Jack glimlachte. Ze hielden nog steeds van haar. Ze gaven om haar. Ze wilden haar vriendin zijn, muffe zolder of niet.

'Bedankt, meiden.' Jack zuchtte. 'Het is maar tijdelijk.' Ze voelde een brok in haar keel. Verdomme. Het was tot daar aan toe om arm te zijn, maar om te gaan húílen? Dat zou haar reputatie pas écht verruïneren.

'Hoi, meiden!' kweelde Avery Carlyle achter ze. Jack draaide zich om. Avery's haar zat in een hoge paardenstaart en werd naar achteren gehouden met een glanzende Stella McCartney-haarband. Ze droeg een mooie roze Tocca-blouse, die Jack de laatste keer dat ze in Barneys was had gezien. Avery zette haar roestvrijstalen blad neer en nam de stoel naast Jack. 'Is dat het enige wat je eet!' riep ze terwijl ze naar Jacks yoghurt wees. Ze keek naar haar extra grote salade. 'Ik voel me vandaag zo'n várken. En, wat gaan we straks doen? Zullen we naar Barneys gaan?' vroeg Avery terwijl ze naar de meiden keek. Ze kon niet wachten om hun mening te vragen over jurken voor het St. Jude-liefdadigheidsbal. Het was zo scháttig dat Owen zou worden geveild, en ze kon niet wáchten om de andere zwemploegjongens op het podium te zien. Bovendien was het zo klassiek New Yorks om je op te tutten voor een liefdadigheidsfeest.

Jack glimlachte om Avery's opgewekte gezicht. Het was Avery misschien gelukt om haar te chanteren om vriendinnen te zijn, maar nu haar geheim bekend was, lag Avery eruit. Uit haar leven, uit het leven van haar vriendinnen, en hopelijk zou ze binnenkort helemaal uit New York willen. Perfect. Jack draaide zich om zodat ze Avery recht aankeek. Ze had hier veel te lang mee gewacht.

'Eigenlijk, Avery, is het heel toevallig dat je over Barneys begint. We hadden het er net over. Het blijkt dat we er allemaal niet naartoe willen. En vooral niet met jou.' Ze was onder de indruk van de manier waarop het klonk: verontschuldigend en met een ondertoon van absolute bitcherigheid.

'Sorry?' Avery staarde naar haar met één opgetrokken wenkbrauw, een licht waarschuwende toon in haar stem. De meeste mensen zouden die ondertoon horen en terugnemen wat ze net hadden gezegd, maar Jack Laurent was anders dan de meeste mensen.

'Je bent grappig, begrijp me niet verkeerd. Weet je nog hoe

grappig het was toen de politie op je feest kwam?' Jack lachte naar Avery. Avery's zilverblauwe ogen veranderden in één moment van afwerend naar verward naar geschokt. Aan de andere kant van de tafel registreerde Jack een sprankje bezorgdheid in Jiffy's ogen. En wat dan nog? Ze gaf Avery, de chanterende bitch, gewoon preciés wat ze verdiende.

'Wat is er aan de hand?' vroeg Avery terwijl ze naar Jiffy keek. Jiffy leek soms een beetje dom, maar ze was absoluut de vriendelijkste van de meiden, en op dit moment had Avery het gevoel dat ze een vriendin nodig had. Haar maag was in een vrije val van dertig verdiepingen beland.

'O mijn god, kun je die zogenaamde onschuld voor één keer laten varen?' barstte Jack boos uit. Alle woede en frustratie die ze de afgelopen twee weken had gevoeld – tegenover haar gierige, slappe vader, haar idiote moeder, het belachelijke gezin dat in háár huis was komen wonen en haar stomme vriend die haar had gedumpt – stond op het punt om naar buiten te stromen. Ze haalde diep adem, in een poging de golf van emotie te beheersen. Dit was háár moment waarop ze haar rechtmatige plaats als koningin van de vijfde klas weer opeiste, en ze moest zich beheersen. Een aantal tafels verderop keek een groep derdejaars toe. Jack staarde naar ze en stond autoritair op. Ze kon net zo goed een voorstelling geven die iedereen bijbleef. Misschien dat de jongere Constance-meiden van haar konden leren. Vooral omdat ze absoluut niets zouden leren van Avery, de SLRT of SLET of hoe die positie ook heette. 'Ik heb de politie op je feestje gebeld. Ik dacht dat je dat moest weten,' zei Jack met nadruk op elk woord. 'We zijn geen echte vriendinnen van je, en niemand mag je.' Ze haalde haar schouders op om de rest van de kantine een lesje te geven, en ging daarna weer zitten.

De show is voorbij!

Avery duwde haar stoel zo snel naar achteren dat deze op de vloer kletterde. Ze wist dat haar gezicht vuurrood was en dat de rode vlekken zich waarschijnlijk over haar borstkas verspreidden, een duidelijk teken dat ze op het punt stond in huilen uit te barsten.

'Geen wonder dat je vriend je heeft gedumpt voor mijn zus,' siste ze luidkeels. Ze deed geen moeite om de omgevallen stoel op te rapen of naar een van de andere bitches te kijken. Ze hield haar adem in toen ze langs de zee vertrouwde gezichten liep en iets meer dan zestig paar ogen zich in haar rug boorden. Ze marcheerde naar het Constance-toilet en pas daar, in het laatste hokje, dat min of meer gereserveerd was voor meiden die geheime emotionele zenuwinstortingen hadden, stond ze zichzelf toe om te huilen.

'Godzijdank dat we niet meer met haar hoeven op te trekken.' Jack zuchtte opgelucht. Misschien moesten ze vanmiddag toch maar een kijkje nemen in de *Bella*-modekast. Ze zag dat Jiffy haar hoofd weemoedig schudde.

'Wat?' snauwde Jack geïrriteerd.

'Ze heeft zo'n lekkere broer...' Jiffy's stem stierf weg. Sarah Jane knikte bevestigend.

'Hij is al bezet,' zuchtte Genevieve. 'Ik heb het jullie gezegd, alle lekkere jongens zijn bezet. Daarom moeten we actie ondernemen en wat jongens in ons leven zien te krijgen. En we moeten een strategie bedenken voor het liefdadigheidsbal van St. Jude. In LA heeft iedereen een strategie voor een feest. Ik denk dat we dat hier ook moeten invoeren,' verkondigde ze, alsof ze een generaal was die haar troepen op pad stuurde.

'Wat bedoel je ermee dat hij bezet is?' vroeg Jiffy, die Genevieves idiote idee compleet negeerde.

Een feeststrategie klonk precies als iets wat Avery Carlyle zou hebben, dacht Jack chagrijnig. Maar ze vrolijkte onmiddellijk op. Ze hoefde zich niet meer druk te maken om Avery. Ze was terug aan de top. Ze had haar vriendinnen. Ze zou haar ballet hebben als ze die beurs eenmaal kreeg. Haar leven was bijna weer normaal.

Behalve haar door haarzelf bekendgemaakte armoede en het feit dat ze pas geleden in het openbaar was gedumpt.

'Ik heb hem met dat blonde, artistieke Seaton Arms-meisje gezien. Ze stonden voor zijn appartementencomplex te praten terwijl ik op weg was naar huis. Ze zagen eruit alsof ze op het punt stonden het te doen, voor de ogen van de portier,' zei Genevieve gewichtig. Ze was duidelijk blij dat ze een belangrijke roddel had die eerder geen waarde had gehad. Jack dacht terug. Ze herinnerde zich Avery's broer van het feest. Hij had hetzelfde blonde haar als zijn zus, en behalve die idiote halve baard was hij inderdaad heel lekker geweest, op een buitensportende skater/snowboarder/zwemmer-manier.

'Dat kan helemaal niet, ze heeft verkering met die zwemmer van St. Jude. Rhys Sterling. Mijn moeder háát zijn moeder,' barstte Sarah Jane los. 'Ze heet Kelsey en nog wat. We hebben in groep acht samen in een paardrijkamp gezeten. Rhys en zij zijn al eeuwen een stel. Weten jullie nog hoe ze in elkaar opgingen tijdens Genevieves bar mitswa?' Genevieves vader had de Radio City Music Hall afgehuurd en had U2 gehuurd om op te treden. Jack herinnerde zich vaag dat Rhys en zijn vriendin elkaars hand vasthielden en elkaar stiekem zoenden. Hoewel de Upper East Siders verspreid waren over vijf of zes particuliere scholen, kende iedereen elkaar via het ingewikkelde sociale netwerk van families. Iedereen wist alles over iedereen, en dat maakte het extra moeilijk om je te verstoppen.

'Je bent waarschijnlijk gewoon in de war, Genevieve. Je wás een beetje dronken op Avery's feestje,' zei Sarah Jane moraliserend. Ze pikte een patatje van Jiffy's bord.

Was zij niet mevrouw Wodka-Cocktail?

Jiffy, Sarah Jane en Genevieve begonnen te kletsen over de jongens van het St. Jude-zwemteam om vast te stellen wie single was, maar Jack luisterde maar half. Had Owen echt iets met Kelsey gehad? Maar Kelsey en Rhys hadden verkering. En Owen en Rhys waren heel goede vrienden. Als Genevieve ze écht samen had gezien, dan was er iets heel verdachts aan de gang. Interessant.

Jack gooide haar Givenchy-schooltas over haar schouder. Er begon een plan vorm te krijgen in haar hoofd. 'Ik moet ervandoor,' zei ze luchtig tegen haar vriendinnen. Ze slenterde hooghartig door de dubbele deuren van de kantine naar buiten. Als chantage de manier van de Carlyles was, dan verdienden ze misschien een koekje van eigen deeg.

Ding-dong, de bitch is terug!

gossipgirl.net

Disclaimer: alle namen van plaatsen, mensen en gelegenheden zijn veranderd of afgekort om de onschuldigen te beschermen. Mij, vooral.

Topics | Gezien | Jullie e-mail | Stel een vraag

Ha mensen!

Een kleine intrige is goed voor de reputatie

Iedere regel heeft zijn uitzondering, en soms wordt iemand geheimzinniger naarmate je meer over hem of haar te weten komt. Neem bijvoorbeeld een Upper East Side-prinses die onlangs uit de schoot van luxe was verstoten. Ze dacht dat het een schandelijk geheim was, maar kan het ons écht iets schelen? In plaats van in haar sprookjeskasteel woont ze op een zolder met afgedankt antiek – wat ik eigenlijk veel romantischer vind dan wonen in een of ander opzichtig penthouse.

Daarnaast geeft het eindelijk wat geloofwaardigheid aan haar artistieke imago. Kijk maar naar Isadora Duncan, Zelda Fitzgerald, Edna St. Vincent Millay, Colette. Hadden die geld? Wie weet het? Wie kan het iets schelen? Ze waren absoluut iconen die hun tijd ver vooruit waren. Waar, zoals we allemaal weten, geen prijskaartje aan hangt – in weerwil van wat sommigen denken. (Ik kijk hierbij naar de zwarte AmEx-houders die wanhopig proberen om smaak te kopen, één Diane von Furstenberg-wikkeljurk per keer. Je weet dat ik jou bedoel!) Het punt is: kleine prinses, vrees niet. Niemand heeft medelijden met je. De enige persoon die op dit moment wél overal medelijden krijgt is haar geld niet kwijtgeraakt, maar haar zogenaamde vriendinnen en haar sociale positie. Is er iets verdrietiger dan dat?

Gezien

J, die een broodmagere jongen met een Speedo over zijn kakibroek tegenhoudt om hem te vragen hoe laat St. Jude lunchpauze heeft. Is er iemand in het geheim verliefd? Of is het een Speedo-obsessie...? **A** in het kantoor van de directrice, waar ze kleine komkommersandwiches eet met een dame met blauw haar en mevrouw **M**, terwijl ze praten over *Eat, Pray, Love*. Ik heb gehoord dat boekenclubs een goede manier zijn om nieuwe vriendinnen te maken. Vooral als je ze niet van je eigen leeftijd hebt... **B** en **J.P.** bij een besloten wijnproeverij in de naamloze, biologische bar in de **Cashman Lofts**. Opnieuw **B**, voor de Cashman Lofts met **S**, waar ze met een paar sjofele jongens rondspetteren in de fontein en foto´s nemen. Hm, het is een tijdje geleden dat **B** en **S** samen zijn gespot. Ik neem aan dat het echt een nieuw tijdperk is!

Jullie e-mail

V: Allerliefste Dame van de Geruchten,
Ik ben een student uit Spanje. Mijn vriend, die Spaans koninklijk bloed heeft en hier een grote vangst is, lijkt naar New York weggelopen te zijn. Ken je hem? Stuur hem dan alsjeblieft terug. Zijn moeder is naar hem op zoek!!!
– Caliente Chica

A: Lieve CC,
Eén vraag: is hij knap? Zo ja, dan hou ik mijn ogen open!
– GG

V: Lieve Gossip Girl,
Ik werk bij een erg hectisch en belangrijk tijdschrift, en ik denk dat er net een paar mensen binnen zijn geweest die spullen uit de modekast hebben gestolen. Ik ben maar een assistent, en ik ben doodsbang. Als iemand dit leest, breng dan alsjeblieft terug wat je hebt meegenomen, er worden geen vragen gesteld.
– SlaafVanDeMode

A: Lieve SVDM,
Eh, dit is de afdeling gevonden voorwerpen niet. Sorry.
– GG

V: Lieve Gossip Girl,
Ik heb gehoord dat **A** in werkelijkheid de spion van mevrouw M is. Ze is eigenlijk vijfentwintig en heeft een graad van Princeton, en ze zou gaan werken voor de FBI, maar mevrouw M heeft haar eerst gekregen. Is dat waar?
– Freeek

A: Lieve Freeek,
A is inderdaad intellectueel, maar iets zegt me dat ze niet echt FBI-materiaal is. Toch kan het geen kwaad om voorzichtig te zijn met wat je zegt of doet. In deze stad kijkt er altijd iemand naar je.
– GG

Goed, nog maar twee weekjes tot het liefdadigheidsbal van het zwemteam van St. Jude. En, zoals we allemaal weten, is het niet belangrijk op wie je biedt, maar met wie je uiteindelijk naar huis gaat. Gelukkig heeft een anonieme weldoener een hele serie kamers gedoneerd in het **Delancey**, het splinternieuwe Lower East Side-hotel waar het liefdadigheidsbal plaatsvindt, voor de goede zaak. Dat is nog eens gemakkelijk forenzen. Ik hoop dat alle vrijgezelle dames hun geld sparen!

Je weet dat je van me houdt,

gossip girl

12

Misschien groeien er toch vriendinnen aan de bomen...

Owen Carlyle liep tijdens zijn lunchpauze op dinsdag de pizzatent op de hoek van Eighty-eighth en First binnen. Hij was opgelucht dat hij even weg was van St. Jude. Sinds de eerste bel maandag was gegaan, was hij voortdurend gebombardeerd met toespelingen op zijn zogenaamde homoseksualiteit, onder andere bij Engels tijdens een discussie over de homo-erotische bijbedoeling in *Othello* en tijdens de kunstgeschiedenisles van mevrouw Kendall over de mannelijke kijk op de portretkunst in de renaissance. Iedereen had naar hem gekeken voor informatie, alsof hij een homo-expert of zo was. Owen schudde het van zich af terwijl hij de warme geur van rijzend deeg inademde.

'Kerel, wat mag het zijn?' De stevige pizzaverkoper achter de balie glimlachte joviaal.

'Twee worst.' Owen kromp in elkaar toen hij zich realiseerde hoe zijn bestelling kon worden opgevat. 'Eh, twee stukken pizza met worst,' corrigeerde hij zichzelf. 'Opgewarmd.' Zijn blik ging naar de dikke gouden ketting die in het krullige borsthaar van de pizzaverkoper hing. Getver. Als Owen bewijs nodig had dat hij geen homo was, dan was dit het.

'Mooie dag, hè, maat?' vroeg de pizzaverkoper vriendelijk terwijl hij met zijn dikke spekarmen op de glazen toonbank leunde. Hij zag eruit alsof hij op het punt stond om een praatje voor de hele dag te beginnen. Owen knikte kort.

'Zit je op die chique school?' vroeg de man terwijl zijn ogen over Owens blazer gleden. Owen knikte en wilde dat hij niet had gevraagd of de stukken opgewarmd konden worden, zodat hij hier weg kon. Dit was niet de gewone verkoper. Misschien was het de eigenaar of zo. Het leek een tamelijk aangenaam leven, dacht Owen. Misschien moest hij gewoon een pizzatent openen en meisjes, school en zwemmen vergeten. Hij zou de mensen gelukkig maken. Het zou niet zo'n slecht leven zijn.

Op dat moment ging de winkelbel. Owen draaide zich om en zag Hugh Moore. Fantastisch.

'Twee worst!' riep de pizzaman. Hij haalde de dampende stukken uit de oven, liet ze op een wit kartonnen bord glijden en gaf ze aan Owen.

'Bedankt,' mompelde Owen.

'Wooooh.' Hugh deed een paar stappen naar achteren en sperde zijn ogen open. 'Boks, jongen. Gaaf dat je voor de worst gaat! Ik wil trouwens niets onderbreken!' Hugh grijnsde irritant terwijl hij de deur uit liep. Owen probeerde kalm te blijven. Hij voelde dat zijn oren rood werden.

'Wil je het heet?' vroeg de pizzaverkoper terwijl hij naar het groene plastic blad met oregano en peper wees.

'Nee!' Owen deinsde achteruit. Vanaf het moment dat zijn teamgenoten waren gaan denken dat hij homo was, hoorde hij overal seksuele toespelingen. Het leek een beetje op de periode dat hij net naar New York was verhuisd en alles hem aan Kat deed denken.

Zelfs behaarde pizzaverkopers?

'Ik bedoel, ik neem ze zo mee.' Hij gooide een tientje op de toonbank. 'Hou het wisselgeld maar,' mompelde hij. Hij propte het grootste stuk in zijn mond terwijl hij de straat op liep. De pizza verbrandde zijn verhemelte en de kaas was klef en smakeloos. Hij gooide het bord in een metalen afvalbak.

'Jij bent toch Owen?'

Owen keek op en zag een mooi meisje met roodbruin haar

dat hetzelfde uniform droeg als Baby en Avery naar school droegen. Ze leek op een gazelle, of op een van de danseressen van het Degas-schilderij dat in de studeerkamer in oma Avery's huis hing. Hij vroeg zich af hoe ze hem kende. Hij herinnerde zich niet dat hij haar op Avery's feest had gezien, maar aan de andere kant was hij toen een beetje in beslag genomen geweest.

Het kost ook zó veel concentratie om een zogenaamde breuk met de vriendin van je beste vriend te organiseren.

'Ja,' mompelde Owen. Hij keek om zich heen voor het geval dit een of andere bizarre zwemteamgrap was, maar de enige persoon die hij zag, was een oudere vrouw die op een gemotoriseerde rolstoel door de straat reed, gevolgd door haar drie in sweaters geklede Yorkies.

'Jack Laurent.' Ze glimlachte en stak haar hand uit.

Owen pakte hem even en liet hem weer vallen alsof hij zich had gebrand. Meisjes veroorzaakten te veel problemen. Hij kon dit niet aan. 'Leuk om je te ontmoeten,' zei hij verlegen. Ze tuitte haar roze glosslippen ontevreden bij zijn koele begroeting. Owen herkende de uitdrukking als klassiek meisjesachtig, bedoeld om hem week te maken. En Jack was prachtig. Maar hij was niet van plan daarvoor te vallen. Hij zou stoïcijns blijven.

En homoseksueel.

'Het spijt me, ik wilde dat ik meer tijd had om te praten.' Hij haalde zijn schouders hulpeloos op. 'Ik heb gewoon haast.' Hij draaide zich om naar de voetgangersoversteekplaats, die op DON'T WALK stond. De auto's stroomden de avenue al op. Hij staarde recht voor zich uit, vastbesloten om niet naar haar te kijken.

'O, oké,' zei Jack zachtjes. Ze keek kritisch naar hem. Hij was leuker dan ze had verwacht, met brede, atletische schouders en een slank middel. Zijn blauwe ogen deden haar denken aan de rampzalige vakantie in Saint Tropez, waar ze een paar jaar geleden met haar moeder was geweest. Haar moeder was verliefd geworden op een Fransman die haar er bijna van had overtuigd om daar te gaan wonen. Owen maakte zijn kastanjebruine stropdas los, nog steeds zonder naar haar te kijken. Jack realiseerde zich dat hij zenuwachtig was. Ze besloot om hem iets te geven waar hij écht zenuwachtig over kon zijn. 'Heb je zo'n haast om naar Kelsey te gaan?' vroeg ze onschuldig.

Het werkte. Zijn oren staken vuurrood af tegen het blonde haar. Jack glimlachte.

'Kelsey?' Owen verslikte zich. Hij kon het brok pizza dat hij daarnet had gegeten bijna terug voelen komen.

'Dat is je vriendinnetje, toch?' Jack sperde haar groene ogen open.

Ze stonden nog steeds op de hoek en plotseling voelde Owen zich heel erg kwetsbaar. Hij keek de pizzazaak in. De pizzaverkoper was alleen en danste op een muzieknummer. De auto's waren gestopt, en het WALK-teken brandde.

'Laten we oversteken,' zei Owen. Hij kon niet geloven dat hij betrapt was. Er waren echt overal spionnen. Geen wonder dat Avery altijd zo paranoïde deed. Ze bereikten Eighty-seventh tussen First en York. 'Ten eerste is ze mijn vriendin niet. Ik ken haar nauwelijks, ik weet alleen dat ze verkering heeft gehad met Rhys, een kameraad van me,' verkondigde Owen.

'Weet je dat zeker?' vroeg Jack. Het was best leuk om dit te doen. Ze voelde zich een sexy vrouwelijke spion, zoals Anne Hathaway in die oerstomme film, *Get Smart*.

'Wat kan jou dat schelen?' vroeg Owen bot. Hij ging harder praten. Hij had er genoeg van dat iedereen hem kritisch bekeek.

'Ik wil een gunst aan je vragen.' Jack liet de spionnenstrategie varen en ging over op het meer ingetogen sekspoes-met-een-hart-van-goud-imago, ongeveer zoals Marilyn Monroe in *Bus Stop*, een oude film die J.P. en zij een keer in zijn filmzaal hadden gezien. Ze had het idee gekregen op het moment dat ze zich realiseerde dat Owen misschien een geheim had: ze had niets te verliezen door te doen alsof ze wist over een afspraakje tussen Kelsey en Owen. Als dat klopte, dan zou Owen min of meer alles doen wat ze vroeg om ervoor te zorgen dat ze het gerucht niet verspreidde. Waarom zou ze niet wat plezier met hem hebben? En tegelijkertijd kon ze Avery en Baby helemaal stapelgek maken.

'Mijn vriend heeft onze verkering vorige week uitgemaakt. Ik kan niet meer slapen, ik kan niet meer eten – ik voel me gewoon zo lelijk,' ging Jack verder. Ze verdiepte zich helemaal in haar rol. Het gaf een goed gevoel om iemand te vertellen hoe rot en stuurloos ze zich de laatste tijd voelde. En Owen leek inderdaad te luisteren. Hij liep met haar op en knikte alsof het hem echt iets kon schelen wat ze zei.

'Jij bent zo knap, alle meisjes in Upper East Side zitten achter je aan. Ik weet dat er iets is gebeurd tussen Kelsey en jou en dat wil ik geheimhouden. Ik wil je niet chanteren...' Ze knipoogde naar hem en glimlachte. Ze had op dit moment bij Engels moeten zitten, en ze had dat verdomde *Moby Dick*-boek nog niet eens open gehad.

Wie heeft er literatuur nodig als je de meesteres van duistere intriges bent?

'Wat wil je van me?' Owen kneep zijn ogen tot spleetjes. Ze zag er zo onschuldig en kwetsbaar en mooi uit dat hij een moment van zwakte had. Hij wist uit de eerste hand hoe rot het beëindigen van een relatie was.

'Kun je net doen alsof je mijn vriend bent?'

'Wat?' vroeg Owen voor het geval hij het verkeerd had begrepen. Hij wist dat meisjes raar konden doen, maar dit was absurd. Avery zou nooit een jongen vragen om zoiets te doen.

Ze naderden East End Avenue en Owen zag een stel St. Jude-jongens aan de overkant van de straat. Ze draaiden zich om en staarden zwijgend naar hem. Gewéldig. Alle jongens van zijn school dachten dat hij voor het andere team ging. Hij keek naar Jack, met haar prachtige, smekende, groene ogen. Ze deden hem denken aan zijn golden retriever, Chance, als hij heel graag uitgelaten wilde worden. Niet dat hij haar vergeleek met een hond of zo.

Hoe noem je een vrouwtjeshond ook alweer?

De St. Jude-jongens stootten elkaar aan terwijl Jack en Owen langsliepen, en plotseling kreeg Owen een idee. Als hij meedeed aan Jacks plannetje, zou niemand meer denken dat hij homo was. Eigenlijk was het helemaal niet zo'n slecht idee om een vriendin te hebben.

'Eh, ik moet naar school,' zei Owen de vraag ontwijkend. 'Kunnen we er later over praten?' Hij pakte zijn iPhone en trok zijn wenkbrauwen verwachtingsvol op. 'Wat is je nummer?'

Jack pakte zijn mobieltje uit zijn hand en toetste snel haar nummer in. Haar handen waren koel en Owen voelde een elektrische schok toen haar nagels zijn handpalm raakten.

'Ik begrijp het.' Jack knikte en gaf Owen zijn iPhone terug. Ze zag er heel onschuldig uit terwijl ze haar roodbruine haar van haar schouder duwde, maar Owen wist uit ervaring dat meisjes altijd een verborgen motief hadden. 'Goed, dan zie ik je later...' Ze glimlachte en gaf een kus op zijn wang.

'Oké.' Owen deed onwillekeurig een stap naar achteren. Wat zou het inhouden om net te doen alsof hij haar vriendje was?

Heel veel voordelen!

'Dank je,' fluisterde ze terwijl ze in westelijke richting wegliep, haar uniformrok rond haar knieën zwaaiend. Owen liep de trap van St. Jude op met een glimlach op zijn gezicht.

Kijk maar uit, flipper. Spelen in het peuterbad is heel iets anders dan een sprong in het diepe...

De hemel in een picknickmand

Rhys sjokte op dinsdagmiddag door Eighty-sixth Street naar de ingang van Central Park, beladen met een Dean & DeLuca-picknickmand. Hij had Kelsey gevraagd om hem meteen na haar Seaton Arms-tennisles te ontmoeten, die heel handig op de Central Park-tennisbaan bij Ninety-third werd gegeven. Omdat ze hier op weg naar huis toch langs kwam, leek zijn vraag om hier met haar af te spreken minder stalkerig en wanhopig en meer alsof ze twee oude vrienden waren die elkaar zagen. Hij kon in elk geval terugvallen op dat excuus als niets volgens plan verliep.

Maar het zou wel volgens plan verlopen, zei Rhys tegen zichzelf terwijl hij een Frette-deken uitvouwde op de grasheuvel naast de Egyptische vleugel van het Met. Het was er mooi, en het was nooit te druk. Hij pakte zenuwachtig zijn mobieltje, voor het geval Kelsey laat was.

Dat was ze niet. 'Wat gaaf!' gilde Kelsey toen ze de heuvel op liep en het uitgespreide kleed zag. Met haar witte tenniskleren, haar parmantig witte klep en haar witte tennisschoenen zag ze eruit als een engel. Er verscheen een brede, zonnige glimlach op haar gezicht terwijl ze haar schoenen uittrok en over het gras naar hem toe rende, waarbij ze een groep duiven uiteendreef. Rhys zuchtte van opluchting. Het ging nu al beter dan hij had verwacht.

'Hoi!' Kelsey stopte en omhelsde hem. Rhys stond op en ging daarna verlegen weer op het kleed zitten. Het was zo vreemd om samen te zijn, maar tegelijkertijd niet sámen samen. In elk geval nog niet.

Koest, jongen! Geduld is een schone zaak.

Kelsey ging naast hem zitten en keek in de picknickmand. Ze had een klein litteken op haar neus van de neuspiercing die ze tijdens een kort moment van rebellie in de derde klas had genomen. Als je haar niet kende, kon je denken dat het een sproet was, maar Rys kende haar.

Alleen niet zo, eh, intíém als sommige anderen.

'O mijn god, je hebt gombeertjes meegenomen!' Ze trok de gele zak met het Britse beertjessnoep waar zijn vader zo gek op was uit de mand. 'Ik hou van je! Ik bedoel... ik hou van gombeertjes,' zei ze onhandig terwijl ze op haar roze onderlip beet.

'Ja, ik heb gewoon wat spullen bij elkaar gegooid.' Rhys probeerde te klinken alsof hij niet het hele weekend van Zabar's naar Citarella naar Dean & DeLuca was gerend om de picknick voor te bereiden. 'Hoe was je tennisles?' Hij gaf haar de waterfles die hij had gevuld met Grey Goose-limonade, haar favoriete drankje.

'Goed...' zei Kelsey langzaam. 'Je hebt overal aan gedacht,' merkte ze op terwijl ze een slok uit de fles nam. Ze leunde achterover op haar ellebogen en Rhys staarde gelukkig naar haar. Hij zou de hele dag naar haar kunnen staren.

'Rhys!' riep een stem.

Hij keek op en zag Hugh Moore, Jeff Kohl, Ken Wiliams en Ian McDaniel. Verdomme. Rhys keek naar beneden, alsof hij enorm veel belangstelling had voor het patroon van de tenen picknickmand, in de hoop dat ze gewoon weg zouden gaan.

'Hallo, Kelsey, leuk om je weer te zien. We hebben je gemist.' Hugh knipoogde. 'Mag ik zeggen dat je er vanavond fantastisch uitziet?' Zijn ogen schoten gretig naar haar gebruinde dijbenen.

'Dank je,' zei Kelsey lief. 'Hoe is het met je? Je ziet er echt...

mannelijk uit met die baard,' giechelde ze. Rhys glimlachte gespannen.

'Ik doe wat ik kan om indruk op de dames te maken.' Hugh haalde zijn schouders op en plofte naast haar neer. Hij pakte een Carr-cracker, smeerde er brie op en zuchtte tevreden. 'Rhys, Ian koopt een cadeautje voor je.' Hij lachte ondeugend. Rhys volgde Hughs blik en zag Ians magere postuur voor een ijscokar. O nee. Wat het ook was, het was niet goed.

'Rhys wil een Mister Softee-softijsje!' schreeuwde Hugh. Verschillende mensen draaiden zich om en staarden. 'Ik weet dat jij dat níét nodig hebt.' Hugh glimlachte naar Kelsey, en Ian, Hugh en Ken gingen allemaal in een rij staan en keken op hen neer terwijl Ian hem een smeltend vanille-ijsje aanbood.

'Nee.' Rhys bloosde hevig, vooral toen hij Kelsey zag giechelen. 'Jongens, later, oké?' vroeg hij op een toon waarvan hij hoopte dat die autoritair was. Hij keek naar Kelsey in de hoop dat zij hem niet walgelijk, of nog erger, zielig vond.

En een softie natuurlijk.

'Erg leuk,' zei Kelsey lachend. 'Willen jullie er een tijdje bij komen zitten? We hebben eten genoeg,' bood ze aan terwijl ze naar de jongens glimlachte. Een van de dingen die Rhys zo geweldig vond aan Kelsey was dat ze nooit moeite had met de flauwe grappen van zijn zwemteamvrienden of hun misplaatste gevoel voor humor, maar vanavond was níét de avond. Rhys hield zijn adem in en probeerde de telepathische boodschap naar Hugh te sturen dat hij zijn ballen er persoonlijk af zou rukken als hij bleef.

'Nee, het lijkt erop dat je dingen te doen hebt.' Hugh stond gelukkig op. 'Pak ze, tijger!' voegde hij er tegen Rhys aan toe, waarna hij de heuvel af rende met de jongens.

'Sorry,' zei Rhys wanhopig. Het was druk in het park en de mensen bleven over hun deken stappen en in hun picknickmand staren, alsof ze mee wilden doen.

'Dat maakt niet uit. Ik vind dat hele gedoe van jullie zwemteam om een band te kweken wel grappig. Daarom scheren jullie je toch niet? Het heeft wel iets.' Kelsey stak haar hand uit en raakte de haren op Rhys' kin met haar duim aan. 'Het is fijn om je te zien. Bedankt dat je hebt gebeld.' Ze schudde haar hoofd verdrietig. 'Ik dacht dat we nooit meer met elkaar zouden praten.'

'Ik zal altijd met je blijven praten,' zei Rhys eenvoudig terwijl hij twee nieuwe Snapple-flesjes pakte. Een nieuwsgierige Franse buldog liep naar ze toe en snuffelde in Rhys' schoot. Rhys duwde hem opgelaten weg en de hond ging ervandoor, nadat hij een perfecte pootafdruk had achtergelaten in de brie die Rhys open had laten staan. Verdorie. Niets liep er zoals het moest.

Kelsey lachte om de radeloze uitdrukking op zijn gezicht. 'Maak je niet zo druk om die kaas. Dit is zo veel beter dan in een restaurant met elkaar afspreken. Echt,' verzekerde ze hem.

Rhys grijnsde. Ze kende hem en ze wist hoe neurotisch hij werd als niet alles... perfect was. 'En hoe is het nu met je?' vroeg hij suffig.

Kelsey zuchtte plotseling. 'Niet zo goed,' bekende ze. Ze beet op haar met zwarte bessen gevlekte lip en keek in de verte.

'Echt?' vroeg Rhys verrast. Hij haatte de gedachte dat Kelsey ongelukkig was, maar kon het zijn dat ze hem had gemist? 'Je had me kunnen bellen, weet je, om te praten. Ik ben er altijd voor je,' zei hij galant. Onmiddellijk begon hij kritiek op zichzelf te leveren. Klonk dat te verlegen? Te veel als beste homovriend? Hij wilde haar homoseksuele beste vriend niet zijn. Hij wilde haar erg hetero, erg mannelijke verkering zijn.

Kelsey knikte alsof ze diep in gedachten was. Rhys vond de manier waarop ze op haar lip bleef bijten geweldig. Dat deed ze altijd als ze zenuwachtig was. Hij hield ten dele zoveel van haar omdat ze zo levendig en mysterieus was, maar nu wilde hij dat hij gewoon haar gedachten kon lezen.

'Ik ben blij dat je geen hekel aan me hebt,' zei Kelsey uiteindelijk zo zachtjes dat Rhys haar nauwelijks hoorde. Ze huiverde plotseling. De lucht was kouder geworden, en de zon was achter de bomen gezakt. Hij kon zich geen koude, donkere, New York-se winter voorstellen zonder Kelsey naast hem. Dit was het moment, hij moest gewoon moed verzamelen en in actie komen.

'Ik kan helemaal geen hekel aan je hebben. Dat moet je weten. Ik voel me vreselijk zonder jou en ik wilde dat ik je nooit zo gemakkelijk had opgegeven. Als er iemand anders is, dan is dat zo, maar je moet weten dat ik toch verkering met je wil. Het zal de beste verkering ooit zijn, als je me gewoon nog een kans geeft,' zei hij haastig. Zijn hart bonkte wild in zijn borstkas, alsof hij net twee baantjes vlinderslag had gedaan, en hij beet zenuwachtig op zijn lip terwijl hij strak naar Kelseys gezicht keek. Stel je voor dat ze tegen hem zei dat hij niet zo'n slappe, zielige loser moest zijn. Stel je niet aan, Sterling, dacht hij.

'Ik hoopte heel, heel erg dat je me daarom hier had gevraagd,' knikte Kelsey uiteindelijk. Haar blauwe ogen waren donker van verdriet. Rhys wilde dat hij zijn armen om haar heen kon slaan en haar kon vertellen dat het goed kwam, maar dat kon hij niet. Nog niet. 'Er is niemand anders... ik bedoel, je bent fantastisch en ik... ja. Ik zou heel graag weer verkering willen,' zei ze. Haar stem brak bij het laatste woord. Rhys perste zijn oogleden op elkaar om er zeker van te zijn dat het geen droom was, maar dat was het niet – het was waar. Ze wilde hem. 'Het spijt me,' zei ze. 'Van alles.'

'Ik...' begon Rhys, maar hij zweeg weer. Wat viel er nog meer te zeggen. Dat hij niet had kunnen slapen door haar? Dat zij de reden was dat hij deze Wolverine/Shakespeare-achtige baard had? Op dat moment voelde hij haar trillende, dunne vingers op zijn handen en ze duwde haar zachte lippen op de zijne.

'Ik heb dit gemist,' fluisterde ze.

Rhys trok haar dicht naar zich toe, rook de appelshampoo en voelde haar zachte rondingen onder zijn armen. Ze kuste hem hongerig. Haar huid voelde warm onder zijn vingertoppen, hoewel het buiten kouder werd. Hij trok haar dichter tegen zich aan en wilde haar nooit meer laten gaan. Dit was het. Hij was bijna blij dat het uit was geweest. Misschien was dat het beste. Misschien hadden ze die afstand nodig gehad om zo dicht bij elkaar te komen?

Misschien.

'Neem een kamer!' riep een moeder die met een Bugaboo-kinderwagen langsliep.

Oeps. Rhys maakte zich los en keek hoe Kelsey een gombeer-tje in haar mond stopte. Ze zag er zo gelukkig uit. Hij was dat ook. Uiteindelijk zouden ze die kamer toch heel snel nodig hebben.

Om maar niet te spreken van een scheerapparaat, onmiddellijk!

Zoeken naar labels, zoeken naar liefde

Baby zat dinsdag na school op de betonnen trap van Union Square, haar gezicht naar de zon gericht. Ze was omringd door de leden van Radicale Response, die allemaal Stella McCartney-jurken, 3.1 by Phillip Lim-skinny jeans en Rag & Bone-vesten droegen. Ze zouden het voorbeeld van Upper East Side-perfectie kunnen zijn, als de jongens de jurken met strikken niet hadden gedragen en de meisjes niet waren uitgedost in sweaters met capuchon en kakibroeken.

Modepolitie! We hebben hier een enorm noodgeval!

Baby glimlachte tevreden. Ze was blij dat er zo veel mensen waren komen opdagen. Sydney en zij hadden bedacht dat ze foto's wilden maken voor een terug-naar-school-modereportage voor *Rancune*. Een mode-item, vooràl met bekende designers, zou de bitcherige meiden van Constance laten kwijlen van opgewonden verwachting, waarna ze krankzinnig zouden worden als ze foto's van jongens in meisjeskleding zagen. Ze hadden het bij rode wijn besproken, en toen ze kreten begonnen te gebruiken zoals 'op vrouwen gerichte seksualiteit' en 'het verwerpen van tweetallen', hadden ze zich gerealiseerd dat ze misschien meer konden bereiken dan *Rancune* iets minder saai maken. Gelukkig wilde Webber maar al te graag helpen, en hij had zijn Radicale Responsers aangeboden. De Constance-meiden zouden er geen idee van hebben hoe ze dit soort hersenspelletjes moesten opvatten.

De voornamelijk derdejaars Columbia-studenten hingen vrolijk kletsend rond bij de stenen trap, alsof ze op een heel bizar feest waren. Baby zuchtte tevreden toen ze zag dat de voorbijgangers twee keer keken. Dit was zó veel beter dan zich mengen onder de traditionele couturedragende aanwezigen op de chique feesten waar Avery zo geobsedeerd door was.

Sydney stond naast het Gandhi-standbeeld en keek met een gefronst voorhoofd in een digitale camera. Zelfs vanaf Baby's plek kon ze vertellen dat Sydney er geen flauw idee van had wat ze aan het doen was. Baby wist dat ze naar haar toe moest gaan om haar te helpen, maar op dit moment was ze er tevreden mee om gewoon te zitten en te observeren. Deze mensen, net als Mateo, hadden het gewoon begrepen: het leven moest leuk zijn. Het deed haar denken aan de beste delen van een Bertoluccifilm, als de karakters zich bewust werden van hun persoonlijkheid.

'Hallo!' Mateo sloeg zijn sterke armen van achteren om haar heen. Ze rook zijn rokerige adem.

'Hallo!' giechelde Baby zenuwachtig terwijl ze zijn handen voorzichtig van zich af trok. J.P. had gezegd dat hij misschien langs zou komen, en hoewel Mateo en zij gewoon vrienden waren, wilde ze niet dat J.P. zag dat hij haar aanraakte.

'Ik moet Webber en Sydney gaan helpen.' Ze veegde de achterkant van haar enorme, geelbruine Paul Smith-ribbroek af. Het was de kleinste maat, maar hij was nog steeds veel te groot voor Baby's magere postuur. Ze slenterde naar het Gandhistandbeeld, waar Sydney nu geanimeerd discussieerde met Webber, die zijn slungelige lichaam had gestoken in een nauwsluitende Thread-jurk.

'Jezus, wat een nachtmerrie is dit.' Sydney zuchtte dramatisch, hoewel ze grijnsde. 'Alsof travestie niet genoeg is, willen de jongens een striptease bij Forever 21 doen om te protesteren tegen de consumptiementaliteit. Je kunt maar één ding tegelijk doen in een revolutie, weet je.' Sydney haalde haar schouders op en richtte haar volle aandacht op Webber. 'Het kan me niet schelen dat ze willen strippen voor Forever 21. Dat mogen ze – maar ik heb deze foto's eerst nodig. Alsjeblieft?' Ze droeg een belachelijke zuurstokroze seersucker broek waarvan Baby heel erg hoopte dat geen jongen die ooit zou kopen, en een mouwloos hemdje zonder bh. Haar tepelpiercings waren duidelijk zichtbaar, het waren net kleine deurkloppers.

Kom maar binnen!

'Het is niet zozeer consumentisme maar kapitalisme, man. Het is het doordruppeleffect,' legde een van de RR'ers uit met een stem die Baby door haar jarenlange verkering met Tom herkende als die van een overtuigde blower. Hij schikte zijn belachelijke namaakborsten onder een kleine witte bloes die fantastisch had gestaan bij een meisje, maar die er bij een jongen gewoon obsceen uitzag.

'Ze mogen over een kwartier protesteren,' gaf Sydney luidkeels toe. 'Vertel me eens waarom ik dacht dat het een goed idee was om mensen te regisseren die doen alsof ze anarchisten zijn?' Ze zuchtte quasi-zielig. 'Hé, Baby, is dat je vriend?'

Baby keek naar Mateo, die stoeide met zijn vriend Fernando in hun bij elkaar passende katholieke schoolmeisjes-kilts. Er stond een groepje mensen naar ze te kijken.

'Je officiële vriend,' legde Sydney uit. Ze rolde met haar ogen in de richting van University Place. J.P. sjokte langs, met zijn BlackBerry in zijn hand en een MacBook Air uit zijn leren Tumi-tas stekend. Hij zag er niet op zijn plaats uit in het park, dat was gevuld met skateboarders, te gepiercete NYU-studenten, en mensen van middelbare leeftijd met op de jaren zestig geïnspireerde lange rokken en *tie-dyed* T-shirts.

'Komt hij van een bijeenkomst van de Jonge Republikeinen of een discussiegroep?' giechelde Sydney.

'Zo is hij helemaal niet,' fluisterde Baby terwijl ze Sydneys digitale camera pakte en net deed of ze heel geïnteresseerd was in de foto's. Ze zagen er best goed uit, realiseerde Baby zich, vooral die van veraf, waarbij je niet goed kon zien wie de meisjes en wie de jongens waren.

'Hallo, schoonheid!'

Baby gaf de camera snel aan Sydney en draaide zich met een schaapachtige glimlach om. Ze had J.P. niet precies verteld wat ze vanmiddag gingen doen, en ze wist tamelijk zeker dat hij het niet zou snappen.

'Je ziet er... anders uit,' zei hij kritisch.

Hij zei dit keer in elk geval niet 'mooi'.

'Ja, we doen een modereportage waarmee we de seksegewaarwording onder de loep nemen,' legde Baby uit. J.P. knikte, maar hij leek niet overtuigd. Klonk het stóm? Dat was niet zo geweest toen ze er met Sydney over had gepraat. Sydney bukte zich en pakte een megafoon. 'Oké, mensen, laten we de foto maken!' krijste ze als een akela. De jongens in meisjeskleren vormden een groep op de trap.

'Waarom doe je dit ook alweer?' J.P. keek om zich heen terwijl hij achteruitdeinsde.

Baby kauwde bedachtzaam op haar onderlip. J.P. leek helemaal niet op Mateo of Webber of een van de andere jongens, en niet alleen omdat hij de enige was die geen jurk droeg. 'Het is gewoon leuk.' Baby staarde smekend in J.P.'s warme bruine ogen.

'Het begint behoorlijk fris te worden,' antwoordde J.P. neutraal, alsof ze vreemden waren. Baby huiverde onwillekeurig.

'Zal ik je een jurk geven?' zei ze plagerig, maar ze voelde zich een beetje zenuwachtig. Alles was goed geweest voordat J.P. er was, maar nu kon ze alleen nog denken aan wat hij hier allemaal van vond.

'Dat hoeft niet,' zei J.P. stijf. 'Weet je wat, ik ga maar weer eens. Ik weet dat je dit moet doen voor school, dus bel me als je klaar bent. Misschien kunnen we iets gaan eten of zo.' Hij haalde zijn schouders op.

'Het spijt me,' zei Baby, waarna ze boos op zichzelf werd omdat ze haar verontschuldigingen aanbood. Het was niet haar fout dat J.P. zich ongemakkelijk voelde. Zij vond het hartstikke grappig. 'Komt het doordat je het niet leuk vindt als vrouwen de broek aanhebben?' grapte ze flauw terwijl ze naar haar ribbroek gebaarde.

J.P. grinnikte, maar hij keek haar niet aan. 'Bel me als je klaar bent, pop,' zei hij, waarna hij het park zowat uit rende. Baby liep naar de groep terug. Pop? Sinds wanneer was ze iemands pop?

Misschien sinds ze was begonnen met zich te verkleden?

O doet het op zijn eigen manier

In de kleedruimte van het Y in Ninety-second Street was het net zo lawaaiig als na elke vrijdagtraining. Owen liep door de wolk Axe-bodyspray die er bij de kluisjes hing. Hij deed zijn kluisje onverschillig open en negeerde de geïmproviseerde bar die Hugh in zijn zwemtas had georganiseerd, compleet met echte zilveren martinishakers van Tiffany.

'Trek in een gaytini, kerel?' riep Hugh vrolijk.

'Nee, dank je.' Owen rolde met zijn ogen en trok zijn kastanjebruine St. Jude-sweatshirt over zijn hoofd. Hij had zo genoeg van dat homo-gedoe, maar hij wilde zijn zogenaamde relatie niet bekendmaken. Hij had al een paar dagen niets van Jack gehoord, en hij was niet van plan haar te bellen of zo, dus hij wist niet of het nog doorging.

'Hé, wat is er aan de hand?' vroeg Rhys terwijl hij voorzichtig langs Owen schoof om bij zijn kluisje te komen. Deze training was zijn beste ooit geweest. Hij had al zijn tijden gehaald, hij had Owen bij elk baantje verslagen, en hij had zelfs een halve seconde van zijn honderd meter rugslag afgehaald. Alles ging zó veel beter, en dat zou nog veel beter worden als Kelsey en hij eindelijk een stap verder zouden gaan. Hij had er zo veel over nagedacht dat zelfs het woord 'organisch' een seksuele lading kreeg als hun oude leraar, meneer Kliesh, het bleef herhalen tijdens de scheikundeles. Hij had geprobeerd Owen te pakken te krijgen om hem over Kelsey te vertellen, maar hij had geen kans gehad voor een praatje onder vier ogen. Het was alsof Owen hem ontweek. Misschien voelde hij zich vreemd over dat homogedoe. Wás hij een homo? Hij verzorgde zich inderdaad wel erg goed.

Zegt de jongen die elke maand een gezichtsbehandeling krijgt.

'Hallo, ik heb een mededeling, jongens,' schreeuwde Rhys autoritair. Hij was blij over de manier waarop zijn donkere stem tussen de metalen kluisjes echode. Hij klonk in elk geval alsof hij de touwtjes in handen had. Achter in de kleedkamer hoorde hij Hugh en Eli kreunen. Ze dachten waarschijnlijk dat hij de halfslachtige 'niet drinken in het seizoen'-preek ging houden waar hij nog steeds niet aan toe was gekomen.

Niet helemaal.

'Goed, jongens, jullie weten dat de veiling volgende week is,' begon Rhys ernstig. Hij klom op de wankele houten bank en hoopte dat hij er niet af zou vallen.

'En...' Rhys stem stierf weg terwijl hij naar het zootje ongeregeld keek dat om hem heen stond. De honderd kilo zware Ken zag eruit alsof hij net terug was van een jaar lang overleven in een hutje in het bos. De broodmagere Chadwick had een paar verdwaalde plukken haar op zijn gezicht, alsof hij ze in het donker had opgelijmd nadat hij eerst Jaegerbommen had gedronken. Door hun belachelijke kuisheidseed zagen ze er allemaal afschuwelijk uit. Maar dat zou niet lang meer duren.

'En voor die gelegenheid... zullen jullie je moeten scheren!'

Hugh Moore begon te klappen terwijl hij naar Rhys toe liep en hem een fles Tanqueray aanbood. 'Goed gedaan, Sterling! Ik wist dat je zou scoren bij Kelsey. Die picknick was briljant!'

'Nou...' Rhys werd rood. Ze hadden hét nog steeds niet gedaan. 'We zijn weer bij elkaar, en het gaat allemaal gebeuren. Snel,' voegde hij er vol zelfvertrouwen aan toe terwijl hij van de bank stapte.

'O, mijn god, dank je wel, Jezus!' Hugh knielde op de grond en kuste Rhys' voeten.

'Goed, kerels, laten we een noodtrip naar de lingerieafdeling van Barneys maken. Daar zijn de dames. Wie gaat er met me mee?' Hugh rolde met zijn ogen terwijl hij over zijn blonde baard streek. Rhys glimlachte en gaf Hugh een highfive.

'Zijn er jongens voor wie jij een zwak hebt?' vroeg Eli Smith onhandig aan Owen terwijl de rest van het team naar Rhys toe liep om hem te feliciteren.

Owen hoorde het niet. Hij had het gevoel dat hij was overreden door een vrachtwagen. Het was officieel: Rhys en Kelsey waren weer bij elkaar.

'Eigenlijk ben ik van plan om Jack Laurent mee te nemen, mijn nieuwe vriendin. Je weet wel, die lekkere ballerina van Constance,' zei Owen. De woorden tuimelden uit zijn mond voordat hij ze tegen kon houden.

'Wacht, je bent dus een ballerína?' vroeg Hugh terwijl hij zich van Rhys afdraaide.

'Nee!' Owen verloor even zijn geduld. 'Jack – mijn nieuwe vriendin – is een ballerina.' Plotseling stak de coach zijn hoofd naar binnen uit het aangrenzende raamloze kantoor. Hugh stopte de fles Tanqueray snel in de voorzak van Chadwicks sweatshirt en glimlachte engelachtig.

Mooie redding.

'Carlyle, dat doe je goed, brutale meid!' De coach grijnsde. 'Ik vind het een geweldig idee om de homokaart te spelen om de vrouwtjes te krijgen. Vind jé het erg als ik die van je leen?' vroeg hij hoopvol.

Owen haalde zijn schouders op. Er gebeurde te veel op dit moment en zijn hersenen voelden zompig, alsof hij veel te lang onder water was geweest zonder boven te komen om adem te halen.

'Je was ons gouden ticket voor de veiling, maar nu je bezet

bent...' De coach taxeerde de groep zwemmers. 'Hugh, jij bent mijn Vrijgezel Nummer Een. Stel me niet teleur, *bro*,' zei hij, waarna hij terugliep naar zijn kantoor.

'Dat is geweldig, dude!' Rhys zette zijn capuchon op en keek naar Owen. 'Waarom heb je het geheimgehouden?'

'Ik weet het niet.' Owen stopte zijn zwembril in zijn kastanjebruine zwemtas en gooide die over zijn schouder. 'Het is net gebeurd.'

'Laten we dan snel iets doen. Ik ken Jack een beetje, maar ik heb haar niet meer gezien sinds de ballroomdanslessen in de brugklas.'

'Ballroom? En dan denken ze dat ík een homo ben?' Owen bedoelde het als een grap, maar toen het uit zijn mond kwam klonk het als een snauw.

'Iedereen deed het.' Rhys haalde verdedigend zijn schouders op terwijl ze de deuren van het Y uit liepen. Hij pakte zijn Treo en stuurde snel een sms'je naar Kelsey.

Owens hart bonkte in zijn borstkas, alsof hij zojuist een intensieve sprint achter de rug had. Alleen al het feit dat hij wist dat Rhys naar Kelsey sms'te zorgde ervoor dat hij het gevoel had dat zijn wereld ineenstortte.

'Ik vraag Kelsey gewoon of we volgende week een keer uit eten kunnen gaan. Misschien dinsdag? Ik wil dit weekend graag alleen zijn met haar,' legde Rhys uit. Hij glimlachte naar zijn vriend. Het vooruitzicht van een dubbele date maakte hem duizelig. De twee meiden zouden kletsen, Rhys en Owen zouden samen lol maken, iedereen zou het geweldig vinden!

Het enige wat ze nodig hebben is een parcours en matchende Jaguars.

'Goed,' zei Owen verdrietig. Zijn maag draaide om. Wat bedoelde Rhys ermee dat hij dit weekend alléén wilde zijn met Kelsey? En een dubbele date? Hoewel hij Kelsey wanhopig graag wilde zien, wist hij dat hij zo ver mogelijk bij haar uit de buurt moest blijven. Als ze hem nu haatte, zou ze hem nog meer haten als ze dacht dat hij al zo snel een nieuwe vriendin had gevonden. Owen zuchtte verdrietig. Jack leek een aardig meisje, en ze was heel knap met haar roodbruine haar dat perfect bij haar sproeten paste. Maar ze was gewoon Kelsey niet.

'Owen!' Hij hoorde een zangerige meisjesstem en draaide zich om. Jack stond op de hoek in een eenvoudige zwarte knielange jurk en suède schoentjes. Het was alsof hij haar hiernaartoe had getoverd.

'O... hallo!' riep hij in een poging enthousiast te lijken terwijl hij de trap van het Y af liep. Hij was zich er heel erg van bewust dat alle jongens naar hem keken.

'Ik wilde weten wat onze plannen voor vanavond zijn. En ik vind het heerlijk om je te zien na je training!' zei Jack levendig zonder een pauze te laten vallen. In aanmerking genomen dat ze net dééd of ze zijn vriendin was, klonk ze eigenlijk verrassend... vriendinachtig.

Stel je voor.

Owen pijnigde zijn hersenen. Hij herinnerde zich dat zijn moeder een dinertje wilde geven, maar voor zover hij wist namen zijn zusjes allebei niemand mee. Het was gemakkelijker om alleen te zijn tijdens de dinertjes met Edies artistieke hippievrienden. Degenen die ze voor vanavond had uitgenodigd, hadden in de jaren zeventig opgetreden in een experimentele productie van *Waiting for Godot*. Ze hadden allemaal naakt en blauw geschilderd op het podium gestaan. Gelukkig had Owen nooit foto's gezien. Hij hoopte dat ze vanavond niet van plan waren een heruitvoering te geven.

Dat is ook een manier om het ijs te breken.

'Eh, nou, mijn moeder geeft een dinertje bij mij thuis...' Zijn stem stierf weg en hij was zich ervan bewust dat alle jongens nieuwsgierig naar hem keken. Hij sloeg zijn arm beschermend om Jack heen en liep met haar weg van de nieuwsgierige blikken van zijn teamgenoten. Hij was er verbaasd over hoe gespierd haar arm voelde. Ze rook naar een mengeling van lavendel, suiker en tijgerbalsem, de ontstekingsremmende zalf die hij op pijnlijke spieren smeerde.

'Geweldig, ik denk dat we dan moeten gaan. Ik wil heel graag bloemen voor je moeder kopen en misschien ook voor je zusjes,' zei Jack liefjes terwijl ze met Owen naar de voetgangersoversteekplaats liep. Ze nestelde zich tegen hem aan en wilde dat J.P. haar nu kon zien. Ze was er verbaasd over hoe stevig Owen aanvoelde. Hij had net zulke strakke armspieren als de mannelijke dansers met wie ze werkte. Ze vertrouwde ze altijd als ze haar liftten en was nooit bang dat ze haar zouden laten vallen. Maar als ze met J.P. was, had ze altijd het gevoel dat hij haar zou laten vallen. En als ze er nu over nadacht, had hij dat eigenlijk ook gedaan.

Ze glimlachte flirterig naar Owen, zich ervan bewust dat al zijn teamgenoten naar hem keken. Het was grappig. Ze vond het heerlijk om in het middelpunt van de belangstelling te staan. En ze kon een heel wat slechtere partner treffen dan Owen Carlyle.

Heeft de koningin van Upper East Side een nieuwe koning gevonden?

16

Waar zijn A's feestgangers?

Avery stommelde op vrijdagavond het penthouse binnen na een eenzame trip naar Barneys. Ze was gegaan zodat ze zich beter zou voelen, maar toen ze alleen tussen de rekken snuffelde, zonder vriendinnen die haar vertelden wat uit was en in welke broeken ze een platte kont kreeg, voelde ze zich eenzamer dan ooit. Hoewel ze wist dat haar moeders dinertje een verschrikkelijk saaie manier was om haar vrijdagavond door te brengen, was ze blij dat ze iets te doen had.

Ze was meteen op haar hoede toen ze de grote blauwe Balenciaga-tas zag die op de lage bank in de zitkamer lag. Die tas was niet van Baby, en hij was zeer zeker niet van haar moeder. Edie sjouwde haar bezittingen het liefst rond in een henneptas die was gebatikt met roze olifanten.

Avery voelde een golf van ergernis opkomen. Het was waarschijnlijk een van Owens veroveringen, of misschien een van Baby's nieuwe excentrieke vrienden. Terwijl haar broer en zus plezier maakten in New York City, liep zij aan de verdomde riem van de Raad van Toezichthouders. Ze hadden bijna elke middag een 'vergadering'. Het was de bedoeling dat ze de herfstveiling voor Constance zouden plannen, dat had Muffy gisteren gezegd toen ze Avery uit haar wiskundeles haalde om met haar te praten. Ze was naar de saaie, naar oude vrouwen ruikende National Arts Club gegaan en had in plaats daarvan vier uur lang geluisterd naar de meningen van de raadsleden over de luxe cruiselijn die de meeste beschikbare weduwnaars aan boord had.

Misschien moet ze met ze meegaan als ze voorjaarsvakantie heeft.

'Hallo?' riep Avery. Ze hoorde stemmen in de zitkamer, liep haastig door de hal en stopte even om haar jas in haar slaapkamer te gooien. Ze wilde dat er in Edies kring van artistieke vrienden een paar verlopen, knappe artiesten zaten, zoals degenen die rondhingen in de Beatrice Inn of de Waverly. Edie klampte zich nog steeds vast aan het idee dat haar vrienden onontdekte genieën waren, en ze realiseerde zich niet dat het voornamelijk gebrek aan talent was waarom ze de afgelopen twintig jaar zwoegend in onbekendheid op godvergeten plekken zoals Brooklyn hadden doorgebracht. Edie was er in elk geval op tijd uit gestapt om een leven op te bouwen, realiseerde Avery zich terwijl ze door het appartement liep en haar haar achter haar oren duwde.

'Ave? Ben je thuis?' riep Owen uit de keuken, gevolgd door een meisjesachtig gegiechel. Avery liep de keuken in en bleef plotseling staan. Op het marmeren kookeiland, sierlijk nippend aan een glas champagne, zat niemand minder dan opperbitch Jack Laurent, gekleed in een Toca-jurk met col. Avery had haar opzettelijk vermeden sinds haar wrede onthulling in de kantine, maar om haar nu te zien, zo dichtbij en in háár appartement – met haar bróér – dat was gewoon te veel.

'Avery, lieverd.' Jack sprong van het kookeiland en liep naar Avery toe om haar op haar wangen te kussen.

Wat een toeval dat we elkaar hier zien!

Avery kneep haar ogen tot spleetjes en hield zich aan het aanrecht vast om in evenwicht te blijven. Owen leek de hele situatie grappig te vinden. Hij leunde achterover, dronk champagne en zag er volkomen relaxed uit. Door de dubbele deuren hoorde Avery gelach, vermengd met een geluid dat klonk als een doedelzak.

'Hoi, Ave,' begroette Owen haar vrolijk terwijl hij met een dik met brie besmeerde cracker in haar richting zwaaide. 'Heeft Jack je al verteld dat we met elkaar optrekken?'

'Nee,' zei Avery kortaf. Ze had Owen niet zo veel over Jack verteld, maar toch... Kon hij haar bitcherige vibraties niet gewoon voelen? Jack legde haar hand subtiel naast die van Owen en Avery's maag draaide boos om. Tenslotte hadden ze negen maanden samen in de baarmoeder doorgebracht. Dit was net een slechte horrorfilm.

Invasie van de broerrovers!

'Wil je ook een glas?' Owen wachtte niet op antwoord, maar haalde een glas uit een van de gladde eikenhouten kastjes en schonk Veuve in alsof het water was. 'Je zult het nodig hebben,' zei Owen veelbetekenend terwijl Avery het glas pakte.

Hij heeft er geen idee van hoe erg.

'Proost.' Owen hief zijn glas. 'We verstoppen ons hier een beetje. Ze beginnen zo meteen met de opvoeringen.' Hij pakte een drolachtig voorwerp uit een papieren zak en bewoog dat voor Avery heen en weer. 'Wil je een *carob*-reep?'

'Nee, dank je.' Avery glimlachte stijf.

'Hallo?' Baby stormde de keuken binnen in een lelijk blauw poloshirt waarop BEST BUY stond. Ze had er een riem omheen en droeg het als een jurk over een zwarte Wolford-netkouspanty die Avery plotseling herkende als de panty die zij had gekocht. Jezus! Kon haar leven nog bespottelijker worden?

Moet ze dat nog vragen?

'Wat doet zíj hier?' Baby kneep haar ogen tot spleetjes terwijl ze naar Jack keek en haar handen op haar tengere heupen zette. Het poloshirt gaf haar een autoritaire houding, alsof ze een winkeleigenaar was of zo. Avery hoopte dat ze het alleen droeg in een poging om ironisch te zijn, of als onderdeel van iets wat ze moest doen voor die stomme improvisatiegroep. Ze hoopte dat Baby niet echt een baan had gekregen. Op dat moment kwam

Edie binnen met een paar van haar artistieke vrienden, met inbegrip van een lange man met rood haar, die een kilt en een chic wit overhemd met ruches droeg.

'We gaan een stoofpot maken!' riep Edie. 'Het is een Afrikaans stammenrecept dat geluk brengt als een gezin naar een nieuwe hut verhuist. Het leek me wel geschikt om onze keuken mee in te wijden. We kunnen allemaal helpen, als één grote familie.' Edies ogen straalden terwijl ze de kasten opendeed en er op goed geluk keukengerei uit haalde.

Avery kromp in elkaar. Waarom kon ze niet in een leuk, normaal huis wonen waar een familiediner een eenvoudige filet mignon betekende die het dienstmeisje in de formele eetkamer serveerde? Ze kon dit op het moment niet aan. Ze liep statig naar de donkere zitkamer, die was aangekleed met veel kussens en tafelkleden op de vloer.

'Kunnen we alsjeblíéft op stoelen zitten? Misschien zelfs aan de eettafel?' siste Avery tegen haar moeder, die opgewonden heen en weer liep tussen de keuken en de eetkamer. Op dit moment draaide ze zich liever om en ging ze rechtstreeks naar de King Cole Bar, waar Muffy en Esther de avond opgewekt al whisky-soda drinkend wilden doorbrengen.

Hm, misschien kan ze ze uitnodigen voor een stammenstoofpot?

'Onzin, dit is zo veel leuker! Wie wil er nu een saai dinertje?' Edies ogen fonkelden vrolijk terwijl ze de kreukels van haar lange zwarte jurk gladstreek. Ze zag eruit als een grijs-blonde vampier.

'Héél hartelijk bedankt dat ik erbij mag zijn, mevrouw Carlyle,' zei Jack overdreven. 'Laat me weten wat ik kan doen. Dit is allemaal zo heerlijk uniek!' Ze lachte aanstellerig naar Avery, maar Edie merkte het sarcasme niet.

'Dank je, lieverd.' Edie keek om zich heen. 'Ik heb op dit moment niets nodig – begin gewoon maar te denken aan je optreden.' Ze legde haar knokige hand op Jacks onderarm en gaf haar een moederlijke glimlach. Jack glimlachte onzeker terug. Optreden? Hoezo?

'Mijn moeder vindt het fijn als iedereen iets opvoert tijdens haar dinertjes. Het is min of meer een Carlyle-traditie, maar maak je geen zorgen, we kunnen natuurlijk voor die tijd vertrekken,' legde Owen uit, die haar te hulp kwam. Jack grinnikte. Ze kon niet geloven dat Avery Carlyle, van de bekakte Marc Jacobs-haarbanden en de roze Filofax, zo'n stapelgekke moeder had. Ze kon niet wachten om uit te vinden wat Avery nog meer verborg.

'Wat een interessante beeldencollectie.' Jack liep naar een fijn afgewerkte antieke Chippendale-kast die in een hoek van de kamer stond, waar Edie een collectie kleine glazen octopussen had neergezet die ze op een vlooienmarkt in Brooklyn had gevonden.

'Vind je?' Edie klapte in haar handen. 'Ik ben blij dat je ze mooi vindt. Avery waardeert ze helemaal niet. Ze begrijpt niet dat de kitsch van tegenwoordig kunst is.' Ze schudde haar hoofd verdrietig. Haar artistieke vrienden hadden zich rond een grote oranje Le Creuset-pan verzameld.

'Ik heb mijn sousafoon meegenomen,' verkondigde een magere man aan de groep.

Hou verdomme je kop! wilde Avery schreeuwen. Ze dronk haar glas champagne in één teug leeg, terwijl ze naast Jack stond alsof ze hartsvriendinnen of zo waren. Jack deed net alsof ze supergeïnteresseerd was in alles, terwijl ze voor zover Avery dat wist alle bespottelijke gebeurtenissen filmde en aan iedereen op Constance zou doorbrieven. Ze haalde diep adem, vastbesloten om Jack het plezier van een instorting níét te gunnen.

'Jack is een danseres. Misschien kunnen jij en zij iets samen doen, Owen,' stelde Avery liefjes voor.

'Geweldig!' Edie klapte in haar handen. 'Jullie mogen het

amusement voor het diner verzorgen!' Edie keek aandachtig in de pan. 'Ik denk dat het klaar is.'

'Het ziet er fantastisch uit,' zei Avery, terwijl ze naar de ongeveer tien artiesten in de kamer keek, geïrriteerd omdat Baby was verdwenen. Ze moesten samen een soort vergadering beleggen om Owen te vertellen wie – of eerder wát – zijn nieuwe vriendin was.

Baby kwam terug in de zitkamer en redde Avery uit haar persoonlijke hel. Ze had zich omgekleed in een eenvoudige zwarte jurk en haar haar hing los over haar schouders. Ze knipoogde naar Avery, ging naast Jack zitten en stootte haar aan alsof ze hartsvriendinnen waren die een heerlijk geheim deelden.

Psst, ik heb je vriendje van je gestolen! Haha!

'Dit is zo leuk. Weet je, ik had het er net nog over met mijn vriend, J.P., dat we komende zomer naar Afrika willen,' hoorde Avery Baby tegen Jack zeggen. Ze glimlachte stiekem. Soms kon Baby echt voor haar opkomen. Toch wist ze niet zeker hoeveel langer ze het nog uithield om met Jack in háár zitkamer te zitten.

'Hé, Owen, ik moet met je praten. En met jou ook, Baby.' Avery trok ze allebei overeind. Ze had er genoeg van. Het was tot daar aan toe dat Jack Laurent haar op Constance verstootte, maar dit was Avery's territorium, en ze was nooit een meisje geweest dat ten onderging zonder strijd te leveren. Ze trok Owen naar het terras, waarbij haar gemanicuurde nagels halvemaanvormige cirkels in zijn gladde, onbehaarde onderarm prikten.

'Au, Ave, wat heb je?'

De drie liepen het terras op. De avondlucht was koel en de ramen van de omringende appartementen waren verlicht, als kleine gele vierkanten in de donkere avondhemel. In die appartementen woonden normale families met geschikte zoons waar gecaterde feesten werden gegeven, dacht Avery, terwijl ze verlangend de straat in keek.

'Waarom is Jack Laurent hier?' Ze draaide zich met samengeknepen ogen naar Owen om.

Owen aarzelde. Avery had zich altijd met zijn zaken bemoeid, maar ze was nog nooit ergens zo boos over geweest. Hij keek hulpzoekend naar Baby, maar haar donkere ogen waren ook samengeknepen. Waarom kon het zijn zusjes zo veel schelen?

Ach, kunnen we niet allemaal gewoon met elkaar leren opschieten?

'Je maakt afspraakjes met het meisje dat ervoor heeft gezorgd dat ik naar de gevángenis moest!' zei Avery verontwaardigd terwijl ze wijn morste op het beton van het terras.

Owen lachte. 'Heeft zij ervoor gezorgd dat je naar de gevangenis moest?'

'Inderdaad, ze heeft de politie gebeld. Dat is bijna hetzelfde,' zei Avery gepikeerd. 'Maar goed, ga gerust met haar uit. Maak maar afspraakjes met de duivel. Het kan mij niet schelen.' Avery stormde weg en stapte bijna op Rothko.

Owen dacht erover na. Jack was misschien niet zo lief als ze leek, en misschien had ze verborgen motieven. Maar niemand was zo slecht. Bovendien was het leuk om een meisje in New York te leren kennen. Zijn zusjes stelden zich verschrikkelijk aan. Misschien had Avery Jack gewoon verkeerd begrepen.

En misschien is iemand de appelshampoo van een ander meisje al vergeten?

Owen liep weer naar binnen en bleef even staan toen hij zag hoe Jacks haar over haar smalle schouders viel. Haar haar ving het kaarslicht op, waardoor het net was alsof het in brand stond. Ze leek zo levendig en grappig. Intussen stonden Avery en Baby dicht bij elkaar, met een chagrijnige blik in hun ogen. Ze waren waarschijnlijk gewoon jaloers. Owen haalde zijn schouders op.

'Hallo, kinderen!' zei Edie terwijl ze van de vloer opstond. 'Ik heb jullie uitnodigingen voor het liefdadigheidsbal van het

St. Jude-zwemteam net gekregen,' verkondigde ze. Ze haalde drie geopende enveloppen tevoorschijn en Avery prentte in haar geheugen dat ze haar eigen postbus zou openen. De uitnodigingen waren sierlijk gegraveerd met het kastanjebruine St. Jude-wapen. 'Er staat dat jullie allemaal iemand mee mogen nemen. Vertel, wie gaat het worden?' Edie liet zich op een kussen tussen hen in vallen. Ze realiseerde zich nauwelijks dat Jack niet een van haar kinderen was.

'Ik ga met J.P. We hebben er allebei heel veel zin in,' zei Baby terwijl ze onschuldig naar Jack glimlachte.

Jack snoof en probeerde de steek onder water te negeren. Ze glimlachte engelachtig naar de excentrieke moeder van de Carlyles. Hoewel ze welbeschouwd liever deze mafkees als moeder zou willen hebben dan haar eigen moeder.

'Owen en jij gaan natuurlijk samen, dus de belangrijke vraag is wie Avery gaat meenemen?' dacht Edie hardop. 'Weet je dat ze nog nooit een vriendje heeft gehad?' zei Edie tegen Jack alsof ze onschuldige details vertelde. 'Zelfs niet op de kleuterschool, en je weet hoe hitsig vijfjarigen zijn! Alle remmingen komen later.' Edie schudde haar hoofd.

'Wat zielig,' mompelde Jack, terwijl ze met haar zwaar met mascara aangezette wimpers naar Avery fladderde. Avery herkende de blik. Het was de laatste blik van de leeuwin voordat ze haar prooi opat. Er schoten twee woorden door Avery's hoofd: 'o' en 'shit'. Jack was arm en woonde op zolder met haar stapelgekke, mentaal onstabiele moeder, maar dat was niet belangrijk meer. Morgen zou de hele wereld weten dat Avery een speling van de natuur was. Ze voelde een doffe pijn in haar borstkas.

'Goed, we doen de opvoeringen in de andere kamer. Ik wil heel graag wat experimenteel dansen zien. Ik herinner me dat Avery en Baby een paar jaar geleden een geweldige dans hebben gedaan.'

Jack glimlachte maar vroeg Edie niet eens om er meer over te horen. Dat had ze niet nodig. Zelfs een vernederend verhaal over Avery en Baby die een stepdans in sandalen met veters hadden gedaan was niets vergeleken bij de informatie die Jack al in haar bezit had.

'Ik denk dat ik moet gaan,' zei Jack plotseling terwijl ze haar jurk gladstreek en haar tas pakte. 'Owen, ik kan niet wachten tot het liefdadigheidsbal. En het zal fantastisch zijn om jou daar te zien, Baby,' voegde ze eraan toe, terwijl ze het min of meer als een belediging liet klinken.

'Ik loop even met Jack mee,' zei Owen onzeker terwijl hij van de ene zus naar de andere keek. Avery's blauwe, fonkelende ogen en Baby's bruine, samengeknepen ogen gaven hem het gevoel dat hij ze om toestemming moest vragen.

Toen Owen en Jack de deur uit waren, hoorde Avery ze lachen in de hal. Het geluid vermengde zich met de scheetachtige klanken van de doedelzakken op de achtergrond. Wat een fantastische avond.

Wacht maar tot morgen!

Partners in crime

Owen liep met Jack langs de portier en stapte de kille septemberavond in. Hij legde zijn arm rond haar schouders, maar haalde hem meteen weer weg alsof hij iets had aangeraakt wat net uit de magnetron kwam. Mocht hij dat doen?

Idee voor een nieuwe boek: *The Rules: namaakvriend*.

'Bedankt voor het etentje,' zei Jack. Nu ze geen show meer hoefden op te voeren, was het plotseling vreemd om met hem te praten. Ze gluurde naar Owens stomme NANTUCKET PIRATES-T-shirt. Hij was nog zo'n jóngetje, vooral vergeleken met J.P., die er altijd uitzag alsof hij laat was voor een zakenlunch in de Capital Grille.

'Waarom heb je de politie gebeld op het feest van mijn zusje?' vroeg hij plotseling.

'Dat is een lang verhaal.' Jack haalde haar schouders op en hoopte dat ze raadselachtig klonk in plaats van bitcherig.

'Avery is behoorlijk boos op je.'

'Ik zal tegen haar zeggen dat het me spijt. Het was gewoon iets geks. Een soort welkom-in-New York-grapje. Je weet wel.' Jack haalde haar schouders weer op. 'En vertel me nu maar eens over Kelsey,' veranderde ze van onderwerp.

Owen zuchtte gefrustreerd. Hij had per ongeluk iets gekregen met het meisje dat verkering had met Rhys. Maar dat wist hij toen helemaal niet. Kon hij daar iets aan doen? Hij dacht dat hij in New York een kans zou hebben om opnieuw te beginnen, maar hij zat er duidelijk tot over zijn oren in. En Owen haatte niets meer dan het gevoel dat hij verdronk. 'Er is niets tussen ons. Hoezo, wat ben je van plan te gaan vertellen?' zei hij boos.

'Wil je de waarheid?' vroeg Jack. 'Ik ga niets vertellen,' zei ze eerlijk, waarmee ze zichzelf verraste. 'Kunnen we alsjeblieft samen naar het liefdadigheidsbal van St. Jude? We hebben allebei een date nodig,' zei ze zakelijk. Dat was goed. Het maakte dat ze iets minder wanhopig klonk.

'Maar waarom heb je dan...' Owens stem stierf weg en hij kruiste zijn armen verlegen over zijn dunne grijze T-shirt. Hij begreep meisjes echt niet. Toch leek Jack ook lief en onschuldig.

Het uiterlijk kan misleidend zijn.

'Mijn moeder is Française. Ze is stapelgek en ze gaat terug naar Parijs voor een reality-tv-show over oudere burgers. Mijn vader heeft kinderen met zijn nieuwe vrouw, die nog bijna een tiener is. Mijn vriend heeft het met me uitgemaakt voor jouw zusje, en ik kan gewoon wel wat steun gebruiken,' ratelde Jack.

Wat een subtiliteit.

'Goed.' Owen knikte. 'Familie kan ingewikkeld zijn. Trouwens, ik vind het eigenlijk wel leuk om aan namaak-dating te doen,' voegde hij eraan toe omdat het waar was.

Jack knikte. Het was best prettig om met Owen te praten. Zelfs al hadden zijn zusjes haar leven min of meer geruïneerd.

'Eh, zal ik je naar huis brengen?' vroeg Owen. Hij ging verlegen van zijn ene been op zijn andere staan. Hij wilde eigenlijk niet terug naar het claustrofobische appartement, en nu alles met Jack uitgesproken was, voelde hij zich vreemd ontspannen. Misschien kon hij aan haar vragen wat hij moest doen om over Kelsey heen te komen. Hij had iemand nodig om mee te praten.

Wat is er gebeurd met dat zwemmaatje van hem?

'Nee, dat hoeft niet.' Ze haalde haar Treo tevoorschijn en fronste haar voorhoofd. 'Iedereen gaat vanavond naar de Beatrice Inn.' Jack haalde haar schouders op en keek naar Owen.

'Wil je mee?' Ze vroeg het alleen om beleefd te zijn, maar ze merkte dat ze hoopte dat hij ja zou zeggen.

Owen zweeg even. Er tuimelden allerlei gedachten door zijn hoofd en hij wist niet zeker wat hij moest doen. Was het echt als hij met Jack meeging, of was het gewoon een openbaar optreden. 'Nou...' begon hij. Zijn stem stierf weg terwijl hij keek naar de katachtige groene ogen, de sproeten op haar bleke huid, de ronding van haar heupen onder haar jurk, zelfs al was ze gespierd en atletisch. De spieren van haar armen deden hem denken aan de manier waarop de golven in Nantucket eruitzagen net voordat ze op een heldere dag omkrulden.

Jack raakte plotseling in paniek door Owens aarzeling. 'Ik moet weg. Zie je later!' riep ze snel en ze draaide zich op haar fragiele stiletto's om en rende Fifth Avenue af.

Owen keek verward naar haar verdwijnende rug. Waar ging dat over? Hij schudde zijn hoofd, draaide zich om en ging het appartementencomplex binnen.

'Vrouwen,' zei de petdragende, opa-achtige portier terwijl hij de indrukwekkende zwarte deuren opentrok. Hij lachte bulderend en sloeg hard op zijn knie alsof hij een heel goede mop had gehoord. Owen verstijfde. Had de portier geluisterd? Hij had het gevoel dat iedereen in New York altijd oplette.

Dat klopt ook.

Owen liep snel naar de lift. Hij hoorde zijn voetstappen op de glanzende, marmeren vloer van de hal echoën. Hij hoopte dat Edies gasten naar huis waren en dat ze het penthouse niet gebruikten als tijdelijke slaapplaats of als plek voor experimentele dansen of iets wat net zo bizar was. Hij had tijd nodig om na te denken.

Over wat? Of wie?

Hij deed de deur van het penthouse open en werd onmiddellijk aangeklampt door Avery en Baby.

'Wij zijn nog niet klaar. Ben je serieus van plan om met Jack te blijven afspreken?' vroeg Baby met haar handen op haar tengere heupen. Avery stond naast haar. Owen moest denken aan het paar niet bij elkaar passende boekensteunen dat in hun huis in Nantucket stond.

'Ja,' antwoordde hij rustig, maar er klonk een lichte scherpte in zijn stem.

'Owen, ze is niet goed voor je,' zei Avery, die redelijk probeerde te klinken. In Nantucket had ze gewerkt voor een hotline voor leeftijdgenoten, waar kinderen naartoe belden met allerlei soorten emotionele trauma's. De schoolpsycholoog had uitdrukkelijk aangeraden om zinnen te gebruiken als 'ik begrijp het' of 'ik luister'. Avery haalde diep adem en herschikte haar haarband. 'Ik begrijp dat je Jack Laurent knap vindt,' begon Avery terwijl ze naar Owen keek, die niet op zijn gemak van zijn ene voet op zijn andere stapte. 'Maar uiterlijk is ook niet alles,' zei ze tactvol, terwijl ze wenste dat ze kon zeggen wat ze echt dacht – dat Jack een bitch in ballerinakleren was.

'Het is meer dan dat. Ze is grappig en eerlijk en een harde werker en een atlete,' legde Owen uit. Hij wilde gewoon dat zijn zusjes verdwenen. Hij had er geen behoefte aan om uit te leggen dat Jack hem chanteerde, en waarom ze dat deed. Maar zelfs al overhandigde hij een waslijst van Jacks prestaties, hij realiseerde zich dat wat hij zei grotendeels waar was.

'Wat, een paar pirouettes in een roze tutu en ze is een atlete?' zei Baby scherp.

'Luister, ik weet niet wat jullie op Constance doen, maar misschien kunnen jullie proberen om allemaal vriendinnen te worden,' snauwde Owen geïrriteerd. 'Ik heb hier geen tijd voor.' Daarmee stampte hij naar zijn kamer.

Terwijl Owen verontwaardigd verdween, voelde Baby zich een beetje schuldig omdat ze tegen hem had geschreeuwd. Tenslotte had hij nooit iets slechts gezegd over haar wietrokende loser-vriendje in Nantucket. Nu ze erover nadacht, had ze misschien min of meer gewild dat hij dat wel had gedaan. Ze keek naar Avery, die Rothko zo hard tegen haar lichaam drukte dat zijn gele ogen uitpuilden. 'Is alles in orde?'

'Ja, hoor.' Avery liet Rothko los, die blies en wegrende. Ze stampte achter hem aan, rechtstreeks naar haar slaapkamer, liet zich op haar witte sprei vallen en keek naar het bewerkte plafond. Haar leven stortte in en het leek niemand iets te kunnen schelen. Ze had geen vriendje. Ze had geen vriendinnen. Zelfs de kat wilde haar gezelschap niet.

Ze hield haar hand boven haar gezicht en keek op haar zilveren Rolex. Het was pas tien uur op vrijdagavond. Ze vroeg zich af waar Genevieve, Jiffy en Sarah Jane waren. Ze vroeg zich af of haar leven óóit zo zou worden als ze zich had voorgesteld: vol dinertjes, naschoolse feesten en wilde nachten.

'Baby?' riep ze. Ze voelde zich plotseling heel erg alleen.

'Is alles goed met je?' vroeg haar tengere zusje ongerust nadat ze haar deur had opengedaan. Ze klom op het bed en sprong op haar knieën op en neer, zoals ze altijd had gedaan toen ze klein waren.

'Ik denk het.' Avery zweeg dramatisch. Ze wachtte tot Baby iets zou zeggen wat alles in orde zou maken. Baby wist beter dan wie dan ook dat vet eten, wodka en een stomme tienerfilm uit de jaren tachtig er altijd voor zorgden dat Avery zich beter voelde.

Op dat moment ging Baby's mobieltje.

'Is dat mister New York?' vroeg Avery. Ze was verbaasd hoe verbitterd ze klonk. Tenslotte was het niet Baby's schuld dat de succesvolste en knapste highschooljongen in Manhattan verliefd was geworden op Baby in plaats van op haar.

Vertel ons hoe je je echt voelt.

'Waarschijnlijk. Ik denk dat zijn Red de Inheemse Salamanders of wat voor liefdadigheidsbijeenkomst het ook was, vroeg afgelopen is.' Baby pakte haar mobieltje uit haar zak. Ze werd rood en klapte het snel weer dicht.

'Ik wil het zien!' schreeuwde Avery. Ze greep in Baby's zak, haalde de smalle rode Nokia eruit en klapte hem open.

FEEST IN BUSHWIK VANAVOND. KOM JE OOK? NEEM JE 'SCHOP HET PATRIARCHAAT'-VRIENDIN MEE. NIEMAND ANDERS. Avery keek vragend naar Baby. Had Baby een geheim vriendje?

En kan ze hem lenen? Twee valse vriendjes zijn nog beter dan een!

'Het is gewoon een jongen van die improvisatietoestand. Ik denk dat hij wil dat Sydney en ik iets voor *Rancune* filmen. Wil je mee?' Baby haalde haar schouders op. Ze zag er zo lief en onschuldig uit dat Avery zich even heel gemeen voelde dat ze had gedacht dat Baby misschien een geheime liefdesrelatie had. Avery dacht er even over na. Ze mocht dan zonder vriendje zitten, maar ze ging niet rondhangen met ongeschoren, te veel gepiercete, arrogante hippies, en dan ook nog in Brooklyn.

'Niet echt,' zei Avery terwijl ze zich op de kussens liet terugvallen. Ze ging plotseling weer rechtop zitten toen ze zich realiseerde dat Baby in haar kast rommelde. 'Als je iets pakt waar het kaartje nog aan zit, vermoord ik je,' dreigde Avery, hoewel ze op dit punt zichzelf liever vermoordde.

Of misschien moet ze een blog beginnen – ellende zoekt gezelschap.

Ha mensen!

Jeanne d´Arc. Koningin Elizabeth I. Edie Bouvier Beale. Katharine Hepburn. Dat is maar een kleine greep uit een lange rij namen van excentrieke alleenstaande vrouwen. We kunnen er blijkbaar een aan de lijst toevoegen: het lijkt erop dat de luisterrijke en elegante **A** manloos is – en altijd is geweest. Wil dat zeggen dat haar toekomst ligt in het dragen van ongewone outfits, omringd door katten en schattige homo´s? De tijd zal het leren. Maar denk erover na voordat jullie oordelen. Het heeft zijn voordelen om geen man in de buurt te hebben:

Je kunt een hele doos Godiva in bed eten en zonder je zorgen te maken over chocoladevlekken, puistjes of cellulitis. Wie kijkt er?

Je kunt de hele kattenpopulatie van het Bideawee-dierentehuis adopteren én al je geld uitgeven door mini-jasjes van Marc Jacobs voor ze te kopen. Grootste voordeel? Ze kunnen geen nee zeggen.

Je kunt een excentrieke minkbontjas dragen met het dierenhoofd er nog aan vast, en niemand zal proberen je tegen te houden.

Als je ophoudt de andere sekse te willen imponeren, kun je in principe doen wat je wilt. En misschien wordt er over vijftig jaar een modereportage in *Harper´s Bazaar* gewijd aan je ongewone gevoel voor stijl. Of je sterft ellendig en alleen in een met kattenpis doordrenkt appartement. Kiezen of delen!

Liefdadigheid begint thuis

Nu de geldinzamelingsactie van een zekere school nadert, heb ik nagedacht over het karakter van geven. Iedereen denkt dat liefdadigheid alleen gaat over geld geven, maar waarom zou je geen toegang hebben tot je innerlijke goede samaritaan en gewoon proberen om aardig te zijn? Begin met je naasten en liefsten, en het gevoel zal zich zeker verspreiden. Ontmoet pappie voor de lunch in de Harvard Club en probeer te luisteren als hij doorzeurt over zijn nieuwe schoener. Laat je moeder die belachelijke Norma Kamali-jas met capuchon voor je kopen – die zij prachtig vindt, maar waarmee je eruitziet alsof je in een Harry Potter-film speelt. Neem de tijd om een band op te bouwen met je broers en zussen, zelfs al irriteren ze je verschrikkelijk. Tenslotte zorgt de liefde ervoor dat de wereld blijft draaien. En nu we het er toch over hebben...

Stelletjeshoek

Het is me opgevallen dat sommige mensen hun homo-radar moeten nakijken. De goddelijke maar mannelijke **O** heeft een oogje op de dames – vooral op een ballerina met sproeten die het de laatste tijd moeilijk heeft gehad. Komt haar geluk terug? En was zíj het meisje voor wie onze favoriete flipper zichzelf spaarde? Zo ja, dan is het goed voor allebei. Ze zijn bijna te mooi om waar te zijn.

Gezien

A bij **Goodman´s Café** op de zevende verdieping van **Bergdorf**, waar ze haar aankopen showde aan een groep blauwharige, in St. John geklede, oude dames. En zij vraagt zich af waarom ze geen verkering heeft? Of een hartsvriendin? **J**, die extra balletlessen neemt bij **Steps**... **O**, die extra baantjes trekt in het Y in Ninety-second Street. Waarom verbranden ze hun calorieën niet samen? **B** en **J.P.** in Central Park, stoeiend met hun iPods met de terug-naar-de-natuur-hippiegroep. Klinkt als een uitstekende manier om als stelletje een band op te bouwen. Tot **J.P.** een geheim telefoontje pleegt naar zijn vader, die achter een boom staat. Heeft niemand hem verteld dat het moment belangrijk is? De moeder van de drieling, **E**, die een doedelzak door Fifth draagt. Iedereen is gek op een optocht!

Jullie e-mail

V: Lieve Gossip Girl
Nu **J** en **O** een stel zijn, betekent dat dan dat **A** en **J** weer vriendinnen zijn? Omdat **J** zowat familie is en zo?
– LiefdeenRegenbogen

A: Lieve LenR,
Wie heeft vriendinnen nodig als je *frenemies* hebt?
– GG

V: Yo, GeeGee,
Hé. Ik heb van mijn zusje over deze site gehoord. Ik zit op een internaat in Massachusetts en mijn voetbalvriend mist een tand. Hij heeft verteld dat een meisje uit Nantucket hem eruit geslagen heeft. Ik denk dat het **A** is. Blijkbaar heeft ze nogal problemen met het beheersen van haar woede en reageert ze die af op de jongens op wie ze verliefd is, wat de reden is dat ze nog nooit een vriend heeft gehad. Gewoon een waarschuwing voor alle jongens daar.
– Buddd

A: Lieve B,
De waarschuwing is geaccepteerd, maar ik denk dat **A** geen problemen met ons heeft. Afgezien van de paar die dat al hebben... Misschien moet ik toch maar investeren in mondbeschermers.
– GG

V: Lieve Gossip Girl,
Ik vind een meisje echt heel leuk, maar het probleem is dat ik uit Spanje kom en dat zij in New York woont. Denk je dat ze met me mee wil naar mijn vaderland?
– Vrolijke Zwerver

A: Lieve VZ,
Hoewel het idee om september aan de Spaanse kust door te brengen intrigerend klinkt, moet je jezelf een vraag stellen: is dit meisje over wie je het hebt zelf ook een VZ?
– GG

V: Lieve GG,
Je bent zo absoluut de moeder van de Carlyles!
– Complot Theorie

A: Lieve CT,

Eh, nee. Hoewel ik haar karakter bewonder!

– GG

Poe! Nu er zo veel speelt ga ik me gewoon richten op de R´s: reflexologie bij Mari Badescu, rosé bij Beatrice en de herfstcollectie van Rodarte. Soms geven de eenvoudigste pleziertjes het leven zin.

Je weet dat je van me houdt,

gossip girl

Jongensverhaal

Avery zat in de elegante salon van Esther Klepfisz' penthouse in het Sherry-Netherland-hotel aan Fifth Avenue en Fifty-ninth Street, en probeerde niet in slaap te vallen. Het appartement was prachtig gedecoreerd volgens de eisen van de jaren vijftig van de vorige eeuw, maar het zag eruit alsof het sinds de regering-Eisenhower niet meer was gerenoveerd of zelfs goed schoongemaakt. Avery trok haar neus op voor de stofmijt die maar al te duidelijk zichtbaar was in het middagzonlicht. Vandaag discussieerden ze erover of het gepast was om het computerlokaal te vernoemen naar een rijke donateur die afgelopen zomer was overleden en die alles aan Constance had nagelaten. Helaas was de naam van de overledene Emmaline Trutz, waardoor het computerlokaal de naam Trutz-lokaal zou krijgen.

Interessant.

Avery krabbelde haar naam op een van de lege vellen roze papier van haar leren Filofax en zuchtte diep, terwijl ze probeerde niet te luisteren naar Esthers krijsende betoog dat ze Emmalines meisjesnaam moesten gebruiken. Wat maakte het uit. In elk geval was Emmaline Trutz getrouwd geweest. Avery kon nog steeds niet geloven dat Jack Laurent had ontdekt dat ze nog nooit een vriendje had gehad. Het was het enige waar op Constance over werd gepraat, en ze had zelfs e-mails gekregen van slome kleine derdejaars van scholen overal in Upper East Side die medelijden met haar hadden en haar advies wilden geven. Zelfs Sydney, het meisje met de tepelpiercings dat door iedereen werd uitgelachen, had een vriendje.

Avery keek naar het vel papier, dat nu gevuld was met haar naam. Ze zag de elegante krul in haar handschrift en de manier waarop de y van haar voornaam overliep in de c van haar achternaam. Was ze voorbestemd om voor altijd Avery Carlyle te blijven?

Behalve als meneer Trutz misschien op zoek is naar een nieuwe vrouw?

Het hielp niet dat Muffy haar La Petite AC was gaan noemen. De andere dames hadden het overgenomen, en als ze haar aanspraken voelde Avery zich alsof ze een miniatuur airconditoner was. Wie wilde er een afspraakje met een kleine airconditioner?

'De thee is klaar,' verkondigde het bonenstaakachtige dienstmeisje met ruwe stem terwijl ze door de dubbele deuren naar binnen liep. Ze zag eruit alsof ze op het punt stond om op het oosterse tapijt te storten door het enorme gewicht van het zilveren blad.

'Zet het maar op de bijzettafel,' zei Esther zeurderig. Avery zuchtte van opluchting om de plotselinge vlaag van activiteit toen de Raad van Toezichthouders zich rond het theeblad verdrong. Zelfs de dames die tijdens de vergadering in slaap waren gevallen hadden hun volle aandacht erbij zodra ze het getinkel van zilver tegen porselein hoorden.

Muffy, die verrassend beweeglijk was voor iemand van tachtig jaar, stond voor in de rij. Toen ze thee had, liet ze zich langzaam naast Avery op het versleten blauwe tweezitsbankje zakken, terwijl haar theekopje op het schoteltje rammelde en haar knieën luid kraakten.

'Wat is er aan de hand, liefje?' mompelde ze terwijl ze een koekje in haar mond propte. Het kraakte luid en ontketende een wolk kruimels die zich in de lucht met de stofmijt vermengden. Avery schudde haar hoofd verdrietig. Waarom kon ze niet gewoon geboren zijn in 1932, toen ze in elk geval de kans had gehad om cool te zijn.

'Problemen met jongens?' Muffy legde haar gerimpelde hand op Avery's gladde, met roze Essie Escapades-gemanicuurde hand.

'Nee!' riep Avery. Ze wilde dat ze problemen met jongens had. Ze zou liever te maken hebben met een blowende vriend die vergat te bellen dan dat ze geen vriend had.

Ik geloof dat er sinds kort een jongen in Nantucket vrijgezel is die perfect aan die beschrijving voldoet.

'Wat is er dan? Je hebt de hele wereld tot je beschikking,' fluisterde Muffy afgunstig. 'Ik begrijp er trouwens helemaal niets van dat je zo veel tijd met ons doorbrengt.' Ze hield haar hoofd schuin en keek naar Helen Lord, een Park Avenue-oudste die onlangs was gescheiden van haar echtgenoot, een petroleummagnaat. Ze was druk bezig koekjes in haar slangenleren Bottega Veneta-tas te stoppen. 'Dat doet ze al maanden,' snoof Muffy. 'We zouden haar eruit kunnen trappen, maar ze doet niemand kwaad. We denken dat ze gewoon haar eenzaamheid voedt.'

Avery hield een snik binnen. Als Helen Lord ook eenzaam was, dan hadden ze iets gemeen. Misschien konden ze samen koekjes stelen en wegrennen, als een heel saaie versie van Thelma en Louise. Het was duidelijk de richting waarin Avery koers zette, dus waarom zou ze het onafwendbare uitstellen?

'Liefje, je ziet eruit alsof je elk moment kunt gaan huilen!' zei Muffy ongerust terwijl ze haar blik van Helen wegrukte. Ze hield Avery's hand stevig vast. 'Weet je zeker dat er niets aan de hand is?'

'Ik heb geen vriendje,' biechtte Avery op. Ze keek naar haar onberispelijke Constance Billard-seersucker rok, die over haar slanke, bruine benen lag. In elk geval zag ze er niet uit als een excentrieke oude vrouw. Nóg niet.

'En?' riep Muffy, terwijl ze met haar theekopje zwaaide en bijna Earl Grey op haar lichtroze doorgestikte Chanel-tas morste. 'Je hebt geen vriendje nodig. Schatje, weet je hoe saai jongens zijn? Je moet het ervan nemen!'

'Maar ik heb een date nodig voor het liefdadigheidsbal,' zei Avery verdrietig terwijl ze op haar lip beet. Muffy's bruine ogen waren zo groot en vriendelijk en belangstellend dat ze haar alles wilde vertellen. Nog even en dan vertelde ze zelfs het verhaal over de voortand die ze uit de mond had geslagen van de eerste jongen met wie ze had gezoend.

Maak je geen zorgen, dat verhaal is al verspreid.

'O, lieverd! Je moet gewoon het speelveld op. Ik bedoel, ik ben met mijn eerste echtgenoot getrouwd toen ik achttien was. De arme jongen kon hem niet omhoog krijgen – hij was een onervaren mislukkeling!' Muffy lachte terwijl Avery zich in haar thee verslikte. Omhoog krijgen? 'Gelukkig had mijn volgende echtgenoot geen problemen op dat gebied. Zijn probleem was de afdeling vrouwenlingerie. Hij droeg het graag, vooral mijn roze bh's.' Avery glimlachte beleefd. Dit was véél te veel informatie.

'Bedankt dat je me dat vertelt,' mompelde ze terwijl ze vuurrood werd.

'Natuurlijk, liefje. En maak je er geen zorgen over dat je geen vriendje hebt. Jouw tijd komt nog,' zei Muffy zo hard dat iedereen in de zaal het hoorde. Ze stond op van het tweezitsbankje.

Op het moment dat Muffy wegliep, dromde er een groep oudere dames om Avery heen, die in hun Prada- en Givenchytasjes zochten. Avery sperde haar ogen open. Wat was er aan de hand? Gingen ze hun wisselgeld doneren aan het Help Avery Aan Een Vriendje Fonds? Esther viste triomfantelijk iets uit haar roze Chanel-portefeuille. Was het... een foto?

'Een blondine zoals jij zou perfect bij mijn kleinzoon Elliot passen!' kraaide Esther, alsof ze het over een zeldzame Louis XIV-eetkamerset had. Ze duwde de foto in Avery's gezicht, en versperde tegelijkertijd de weg voor Helen en het oranje Hermès-fotoalbum dat ze uit haar enorme fuchsia krokodillenleren Birkin-tas had gehaald. Avery pakte de foto uit Esthers hand en bekeek hem. Ze verwachtte een sukkelig, puisterig wiskundegenie, maar in plaats daarvan zag ze een foto van een jongen die op een gemillimeterd veld stond, met een voetbaltenue aan. Hij was lang, met stekelig blond haar, krachtige gelaatstrekken en gebruinde armen en benen. Elliot was leuk! Avery knikte enthousiast terwijl ze Muffy's harde nagels in haar arm voelde boren.

'Luister niet naar Esther,' fluisterde Muffy hardop terwijl ze afkeurend in haar richting keek. 'We weten allemaal dat hij een toekomstig scheidingsgeval is. Net als zijn vader.'

'Nou, Muffy, we weten alles over jóúw onberispelijke keuze van mannen,' schoot Esther terug, haar stem druipend van sarcasme.

Muffy negeerde haar met een vrolijke fonkeling in haar ogen. 'Maar we hebben het niet over mij, we hebben het over La Petite AC. En voor háár bied ik alleen de beste aan. Mijn kleinzoon Tristan!' kraaide Muffy. Avery glimlachte. Ze vond de aandacht heerlijk. Muffy zocht in haar tas en haalde er een foto uit van een jongen die op de trap voor een herenhuis stond, zijn armen over elkaar geslagen. Hij leek een beetje verlegen, alsof hij was gedwongen om te poseren, maar met zijn bruine haar, fonkelende diepliggende blauwe ogen en gebruinde huid zag hij eruit als een Ralph Lauren-model dat net van een jacht was gestapt dat in Newport lag. Hij was zelfs nog perfecter dan Elliot! Deze was precíés goed.

Kalm aan, Goudhaartje.

'Tristan ziet er... leuk uit,' piepte Avery. Ze was er gevaarlijk dichtbij geweest om 'lekker' te zeggen. Ze straalde naar de verzamelde bejaarden, die nog steeds hoopvol foto's naar haar uitstaken. Wacht maar tot ze tijdens het zwemteamgala verscheen met een hele groep knappe begeleiders.

Hopelijk zónder hun oma's.

19

Twee is gezelschap, drie is een menigte, vier geeft gewoon problemen

Owen liep dinsdagmiddag op zijn gemak over Madison terwijl hij de vlinders al in zijn buik voelde. Vanavond gingen Jack en hij uit eten met Rhys en Kelsey. Dit zou de eerste keer zijn dat hij Kelsey zag sinds hij haar zo harteloos had verteld dat ze gewoon een onenightstand was geweest. Toen Rhys hem belde om hem de naam van het restaurant door te geven, had hij bijna gedaan alsof hij ziek was, maar hij kon het onafwendbare niet uitstellen. Misschien zou het niet zo erg zijn om Kelsey met Rhys te zien. Misschien was de betovering op de een of andere manier verbroken en was ze gewoon een meisje.

Of misschien ook niet.

Owen ging sneller lopen. Hoewel ze Rhys en Kelsey in 2Na zouden zien – het nieuwe sushi-fusionrestaurant in Soho waar Rhys zo mee dweepte – had Jack hem gevraagd om haar af te halen in 3 Guys eetcafé. Het was helemaal aan het eind van Madison en een flink eind uit de route.

En heel dicht bij de plek waar een bepaalde jongen zijn *labradoodles* graag uitlaat.

De geur van oude patat en koffie overviel Owen toen hij het ouderwetse eetcafé binnenliep. Hij had plotseling belachelijk veel honger. Misschien hadden ze tijd om alvast wat te bestellen? Twee stukjes rauwe vis waren absoluut geen voorbeeld van een uitgebalanceerd dieet. Hij zag Jack, die met haar rug naar hem toe zat. Ze droeg haar roodbruine haar in een hoge, glanzende paardenstaart. Hij liep naar haar toe, een beetje zenuwachtig omdat hij met haar vriendinnen moest praten, vooral die met de maniakale ogen en de lange pony. Ze probeerde altijd tegen hem aan te botsen buiten zijn appartement, of als hij met zijn zwemteam om het waterreservoir heen rende.

Je kunt het een meisje toch niet kwalijk nemen dat ze het probeert?

'Hallo, dames,' zei Owen terwijl hij verlegen naar hun tafeltje liep. Hij wilde onmiddellijk dat hij het niet had gezegd. Het klonk oud en eng. Het enige wat ontbrak was een Hugh Hefnerachtig huisjasje en een sigaar. Of, nu hij erover nadacht, een Hugh Moore-achtig huisjasje.

'Owen!' riep Jiffy of Jilly of hoe het meisje met de pony ook mocht heten. Ze werd vuurrood, wat goed paste bij haar lipgloss. Owen glimlachte. *Je hebt het nog steeds, Carlyle.*

'Fijn dat je langs kon komen,' zei Jack met zwoele stem. Ze schoof opzij en realiseerde zich dat haar dij vastplakte aan het gebarsten rode vinyl van de bank. Getver. Ze moesten hun hangplekken dit jaar absoluut opwaarderen. Het was belachelijk om naar een stijlvol restaurant te gaan terwijl je stonk naar de uienringen van een andere tent.

'Geen probleem.' Owen trok ongemakkelijk aan zijn blauwe overhemd en ging van zijn ene been op het andere staan. Normaal gesproken zou hij aan Avery gevraagd hebben of hij er goed uitzag, maar sinds vrijdag was de sfeer tussen hen ongemakkelijk. Bovendien was zijn kleding de minste van zijn zorgen voor vanavond.

'Dus jullie hebben een dubbele date?' Genevieve trok één wenkbrauw op en nam een slok van haar zwarte koffie. 'Dat klinkt zo apart. Waar gaan jullie naartoe?'

'2Na. Je weet wel, dat nieuwe restaurant in Morimoto-stijl in het centrum. Het is een paar weken geleden geopend.' Jack haalde haar schouders op en probeerde blasé te klinken, hoewel ze behoorlijk opgewonden was over hun avond uit in de stad. En natuurlijk gaf het feit dat haar knappe 'vriendje' zijn uiterste best had gedaan om haar op te pikken, haar wekenlang het recht om op te scheppen tegen haar vriendinnen. Ze zocht in haar feloranje Hermès-portemonnee om een paar dollar op tafel te gooien voor wat ze had gegeten. Ze voelde zich hartstikke gulzig, maar ze was nu eenmaal niet het soort meisje dat alleen op sushi kon leven.

'Laat mij maar,' bood Owen galant aan. Hij haalde een kraaknieuw biljet van twintig dollar uit zijn zak en gooide het op het gebarsten afwaswaterkleurige linoleum tafelblad. Hij vond het wel leuk om zich uit te sloven in het bijzijn van Jacks vriendinnen. Dat hele afspraakjesgedoe had wel iets, hoewel deze avond met Jack eigenlijk de eerste officiële date was die hij ooit had gehad.

Laten we onze sjofele bekers heffen en toosten op nieuwe ervaringen.

'Dank je, Owen!' Jiffy giechelde dwaas. Jack zuchtte. Hoewel ze van haar vriendinnen hield, veranderden ze als ze allemaal bij elkaar waren altijd in een groep giechelende meisjes.

Jack en Owen liepen de stoep op, die overvol was met forenzen die zich naar huis haastten. Jack pakte zijn hand. 'Ik dacht dat we misschien konden lopen. Het is zo'n fijne avond.' Ze zwaaide haar grote blauwe tas over haar andere arm.

Owen voelde dat ze haar dunne vingers in de zijne verstrengelde terwijl ze naar Madison liepen. De zon begon onder te gaan en hij knipperde met zijn ogen. Hij kon niet geloven dat het binnenkort allang donker zou zijn op dit uur van de avond.

'Waar denk je aan?' vroeg Jack. Ze keek naar hem met haar puntige kin omhooggedraaid, alsof ze het echt wilde weten.

'Niets.' Owen zuchtte tevreden, maar op het moment dat hij zich herinnerde waar ze naartoe gingen, voelde hij een zweem angst in zijn maag. Hij wilde Kelsey niet zien. Of Rhys. Of, nog specifieker, Kelsey en Rhys sámen.

'Wacht, kunnen we hier even stoppen?' vroeg Jack. Ze stonden voor een groot torencomplex met twee verstrengelde gouden C's op de gevel. Ze knielde en schikte het riempje van haar schoentjes met open neus.

Jack deed alsof ze aan haar Louboutins friemelde en kwam weer overeind. Ze vocht tegen de neiging om Owen vast te pakken en hem te zoenen, in de hoop dat J.P. het zag. In plaats daarvan pakte ze zijn arm en hield die stevig vast. Maar toen ze stiekem naar J.P.'s raam keek, tientallen verdiepingen boven hen, realiseerde ze zich hoe absurd het was om een vrijpartij te organiseren terwijl het heel onwaarschijnlijk was dat haar exvriendje op dit moment thuis was. 'Het is niet belangrijk,' mompelde ze terwijl ze zijn hand weer vastpakte.

'En, waar is die tent?' vroeg Owen terwijl ze weer in zuidelijke richting begonnen te lopen. Hij was nog steeds niet zo bekend met de geografie van Manhattan, maar hij wist vrij zeker dat het niet te doen was om van Upper East Side naar Soho te lopen.

En dat zegt meneer Ik Doe Triatlons voor de Grap!

'Het is ver,' gaf Jack toe. 'We moeten waarschijnlijk een taxi nemen. Ik vond het gewoon fijn om wat frisse lucht te krijgen,' jokte ze.

Ze kneep haar met sproeten omzoomde ogen tot spleetjes en stak deskundig een arm omhoog om een taxi te roepen. Onmiddellijk stopte er een met piepende remmen langs de stoeprand. Owen en Jack stapten in, en Owen was er verbaasd over hoe dicht Jack naast hem zat. Hij keek verlegen naar het nieuws op de kleine achterbanktelevisie. Vandaag was de laatste dag van de zomer, vertelde de nieuwslezer.

'Nog even en dan is het koud.' Owen gebaarde naar het scherm. Jack knikte. Het profiel van haar gezicht deed hem denken aan de Griekse standbeelden in het Met.

Eindelijk stopte de taxi voor een opzichtig oranje, rood en blauw restaurant in een zijstraat met kinderkopjes. Een lange rij goed geklede mensen kronkelde tot in de overvolle hal.

'Eh, we hebben gereserveerd. Ik denk onder de naam Sterling,' zei Owen aarzelend tegen de gastvrouw, die een klembord in haar hand had.

'Wie is dat? Hij is hartstikke knap!' fluisterde een meisje achter hem bewonderend. Owen glimlachte verlegen.

'De rest van jullie gezelschap is er nog niet.' De gastvrouw glimlachte. 'Vinden jullie het een probleem om aan de bar te wachten?' Ze knipoogde naar Owen.

Owen liep met Jack naar de bar en onmiddellijk werden er twee saketini's voor hen neergezet.

'Op eerste afspraakjes,' zei Jack terwijl ze haar glas optilde. Owen glimlachte. Jack was heel knap, maar ze leek ook een goed gevoel voor humor over de hele situatie te hebben. Hij tikte met zijn glas tegen het hare en nam een slok. Toen hij opkeek van de limoen die in zijn drankje schommelde, zag hij Kelsey, in een limoengroene jurk met een dessin van roze bloemen. Ieder ander had er belachelijk in uitgezien, maar Kelsey zag eruit alsof ze van een vakantiebungalow kwam op een of ander fantastisch afgelegen tropisch eiland. Owens maag maakte een salto en hij zette zijn lege paarse glas harder op de glanzende zwarte houten bar dan hij van plan was geweest.

Jack keek op. Ze zag hoe Owens ogen over Kelseys lichaam gleden en nauwelijks registreerden dat Rhys achter haar stond.

'Hallo,' zei Jack in Kelseys richting. Ze deed heel erg haar best om niet bitcherig te zijn, hoewel Kelseys belachelijke vrijetijdsjurk haar natuurlijk was opgevallen. Terwijl zij een beetje overenthousiast was geweest wat betreft de emaille-accessoirestrend en vijf armbanden aan elke pols droeg.

Niet dat ze aan het oordelen was.

'Jullie tafel is klaar,' zei hun ober. Hij rolde onmiddellijk met zijn ogen toen hij begreep dat hij met een dubbele date van pubers te maken had. Hij had duidelijk aangenomen dat de reservering voor lády Sterling was, niet voor haar zoon. Ze werden naar een belachelijk klein zwart zitje in de hoek gebracht en kregen een fles sake aangeboden.

'Hallo, ik ben Owen. Leuk je weer te zien.' Owen stak zijn hand uit naar Kelsey terwijl ze zich op de banken persten. De zitjes waren gescheiden door zwarte gordijnen, die waren geborduurd met gedetailleerde bloemen en vlinders. Met het gordijn gesloten voelde het een beetje of ze in een van die ouderwetse treincoupés zaten van een film zoals *Moord in de Oriënt-Express*. Voor een date was het heel romantisch, maar voor deze gelegenheid was het een marteling.

'Ik heb over je gehoord,' zei Kelsey terwijl ze met de eetstokjes speelde die op haar zwarte emaillen bord lagen. De manier waarop ze het zei was niet echt bitcherig, maar de toon stuurde een angstige rilling langs Owens ruggengraat. Ze klonk alsof het haar helemaal niets kon schelen, alsof ze de een of andere klootzak van het zwemteam ontmoette en ze aardig deed, maar niet aardiger dan ze moest doen. Owen greep naar de fles sake.

'Wie wil er een?' vroeg hij met de fles omhoog. Hij keek niet naar Kelsey. Of naar Jack. Of naar Rhys.

'Graag,' zei Rhys vriendelijk. 'Ik vertelde Kelsey dat je uit Nantucket komt. Haar familie heeft een huis op de Cape.'

'Dat is heel iets anders,' zeiden Kelsey en Owen op hetzelfde moment.

'Sorry,' zei Owen verontschuldigend. Kelsey schudde haar hoofd en zuchtte diep, alsof Owen net was uitgebarsten in een reeks vloeken. Owen trok aan de kraag van zijn overhemd. Hij keek weer naar het gordijn en moest plotseling denken aan het toneelstuk *Met gesloten deuren* van Sartre, dat hij vorig jaar voor Frans had gelezen. In het toneelstuk bevonden drie karakters zich in de hel, alleen gemarteld door elkaar. Het was ongeveer hoe hij zich op dit moment voelde. Telkens als Kelsey met die afschuwelijke combinatie van onverschilligheid en walging naar hem keek, voelde hij een kleine steek in zijn borstkas. En toch kon hij niet stoppen met naar haar te kijken. Het was de ultieme marteling.

'Hoe is het met jou, Jack?' Rhys probeerde een gesprek te beginnen, zich vastklampend aan strohalmen. Hij glimlachte naar het roodharige meisje met de sproeten. Owen en zij zagen er goed uit samen, maar er leek gewoon iets... niet te kloppen. Hij wist trouwens niet waarom Kelsey, die anders zo vriendelijk was, zo afstandelijk deed tegen Owen.

'Is alles goed met je?' fluisterde Rhys tegen Kelsey, die haar nagels inspecteerde.

'Ik ben heel gelukkig dat ik hier met jou ben,' fluisterde Kelsey, zo hard dat Owen en Jack het hoorden. Rhys dronk zijn glas sake leeg, dat brandde in zijn keel. Hij wist niet zeker wat Kelsey bedoelde. Ze klonk bijna boos, maar toen hij zich weer omdraaide en in haar ogen keek, had ze een enthousiaste glimlach op haar gezicht. Vreemd.

'Dit is een leuke tent,' zei hij wanhopig, terwijl hij keek naar het beeld van een tijger, die op een richel boven Owens hoofd stond. Hij zag eruit alsof hij op het punt stond om aan te vallen.

Net als sommige mensen aan hun tafeltje.

De ober rukte het gordijn open en keek naar ze, teleurgesteld dat hij ze niet vrijend onder de tafel had gevonden of dat ze met iets anders onbeschaafds bezig waren, zodat hij ze eruit kon gooien. 'Complimenten van de chef-kok.' Hij zette een bord met dampende *edamame* neer. De kleine groene boontjes deden Owen denken aan de bidsprinkhanen die altijd in hun tuin in Nantucket zaten. 'Zijn jullie klaar om te bestellen?' vroeg de ober nors.

Owen bekeek het menu. Hij had plotseling helemaal geen

honger meer. Het maakte niet uit. Rhys ratelde gerechten op alsof hij een Japanner was. Owen glimlachte strak en zag Kats hand op de knie van Rhys liggen. Hij had het gevoel dat hij moest overgeven.

'Ik heb het,' snoof de ober toen Rhys klaar was met zijn gedetailleerde bestelling. Hij deed het gordijn weer dicht.

'Is alles goed met je?' fluisterde Jack in Owens oor.

'Ja.' Owen knikte en pakte een edamame-peul. Rhys' hand lag nu op Kelseys schouder en hij duwde zijn vingers onder het bandje van haar zonnejurk. Owen greep plotseling naar Jacks hand, maar gooide per ongeluk haar glas om.

'Sorry,' verontschuldigde hij zich, terwijl hij de tafel depte met een dik stoffen servet. Hij voelde zich een stommeling.

'Het maakt niet uit.' Jack haalde haar schouders op. Vreemd genoeg was ze niet eens geïrriteerd over de druppels die in een sterachtig patroon op haar zwarte Vivienne Tam-cocktailjurk waren beland. Iets aan het kaarslicht, de donkere gordijnen en het feit dat Rhys en Kelsey ze compleet negeerden gaf haar het gevoel dat ze in hun eigen romantische wereldje zaten.

De alcohol was ook niet onaangenaam.

Owen haalde nauwelijks adem terwijl hij naar het gesprek van Rhys en Kelsey probeerde te luisteren. Hun vingers waren verstrengeld, en Kelseys zilverblauwe ogen leken bijna vochtig. Huilde ze? Op dat moment keek Kelsey op en staarde naar Owen.

'Had je iets?' vroeg ze venijnig. Plotseling staarde iedereen naar hem en Owen voelde dat zijn oren rood werden.

'Nee... eigenlijk, denk ik alleen dat ik weg moet.' Owen haalde verontschuldigend zijn schouders op terwijl hij in zijn zak zocht. Hij wist dat het plotseling en asociaal was, maar hij kon het gewoon niet meer verdragen. Hij pakte zijn iPhone. 'Het zijn... mijn zusjes. Ze hebben een probleem,' eindigde Owen sullig, in de hoop dat ze het verhaal over het familienoodgeval zouden slikken.

'Prima, dude.' Rhys keek bezorgd. 'Jack, jij kunt natuurlijk blijven,' bood hij grootmoedig aan.

Jack glimlachte grimmig naar Owens verdwijnende rug, en merkte de sullige poging van Rhys om beleefd te zijn nauwelijks op. Ze moest een ernstig gesprek met Owen hebben. Wat was dat verdomme allemaal? Ze was vergeten hoe irritant het kon zijn om een vriendje te hebben.

Is ze ook vergeten dat hij haar vriendje niet is?

20 Kledingvoorschrift

'Miss, dit is een privéclub!' Een man in een driedelig pak kwam haastig achter een mahoniehouten balie vandaan. Baby stopte abrupt en keek verward om zich heen. Atlas, 3 East Sixtieth Street. Ze dácht dat dit het adres was dat J.P. haar had gegeven. Ze had vanavond met hem en zijn ouders afgesproken in deze club om iets te gaan eten, maar misschien had ze het verkeerde nummer. Ze zocht in haar groene vinyl Brooklyn Industries-tas naar het stukje papier waarop ze het adres had geschreven.

'Sorry, ik dacht dat ik hier met iemand had afgesproken. Is dit de Atlas Club?' Baby droeg een oversized rood-zwarte Alive + Olivia-tuniekjurk die ze in Avery's kast had gevonden. Hij was te groot voor haar tengere postuur, dus had ze er een van Edies oude leren hippieriemen omheen gedaan, en er een paar kettingen en armbanden aan toegevoegd. In de hal stonden vrouwen in bont en mannen in smoking. Op de achtergrond speelden een harp en een viool. Ze hoorde hier absoluut niet thuis.

Alweer.

'Weet je zeker dat je het gezelschap hier ontmoet?' De man fronste zijn borstelige zout-en-peperkleurige wenkbrauwen. Hij had een dunne snor die leek op een nakomeling van zijn ontembare wenkbrauwen. Normaalgesproken had Baby het grappig gevonden, maar op dit moment was ze gewoon geïrriteerd. Wie was hij om haar te vertellen dat ze hier niet hoorde? Baby kneep haar ogen tot spleetjes.

'Daar ben je!'

Baby draaide zich om en zag J.P., gekleed in een onberispelijk grijs kostuum, gevolgd door zijn opzichtige vader, de onroerendgoedprojectontwikkelaar en zijn moeder, het voormalige Europese supermodel. Een cowboyhoed bedekte Dick Cashmans roze kale hoofd en Tatyana Cashmans laag uitgesneden zwart-witte jurk benadrukte haar volumineuze decolleté.

'Nou, kijk eens wat de kat heeft meegesleept!' Dick sloeg met zijn hand op Baby's rug, waardoor ze bijna haar evenwicht verloor. Ze begon te hoesten door de verstikkende wolk kruidig parfum die om Tatyana heen hing.

'Leuk om jullie te zien.' Baby glimlachte.

'Meneer Cashman,' zei de gastheer van de club eerbiedig terwijl hij een stap naar achteren deed.

'Hoe is het met je?' Dick schudde de hand van de man zo hard dat er een blauwe ader in zijn slaap klopte. 'Behandelen ze je hier goed? Je ziet er nogal uitgeput uit. Luister, ik heb een serie nieuwe casino's in Vegas. Kom daarnaartoe, speel wat poker, neem een vriendin mee, zij kan naar een van die oudewijvenconcerten gaan, je zult het geweldig vinden,' verkondigde Dick zelfingenomen met een twinkeling in zijn ogen. Tatyana slenterde naar de grote spiegel met vergulde rand die in de hoek hing en begon haar donkere lippenstift opnieuw aan te brengen.

Sir, ik... Dank u,' zei de gastheer duidelijk zenuwachtig.

'Ik denk dat mijn gezelschap de gebruikelijke plek heeft? Baby, je moet het hertenvlees hier proberen. Het smaakt net als Bambi. O, natuurlijk, jij houdt ervan om dieren te knuffelen.' Dick schudde droevig zijn hoofd.

'Nee, ik eet alles,' zei Baby luchtig. Net als zo veel mensen nam Dick Cashman aan dat haar hippieachtige uiterlijk betekende dat ze vegetariër was.

'Meneer Cashman, sir...' De gastheer ging ongemakkelijk van zijn ene voet op zijn andere staan.

'Vooruit, we zijn allemaal vrienden – noem me Dick!' Zijn stem schalde door de hal op het moment dat de harpist met spelen stopte.

'Dick, dan,' zei de gastheer, die rood werd en gebaarde dat hij dichterbij moest komen. 'U bent een van de meest loyale en vrijgevige leden van de club, en zoals u weet vinden we het heerlijk om al uw vrienden en familie hier te ontvangen.' Hij gluurde naar de LV-boodschappentas aan Tatyana's mollige arm, waarin een van de drie honden van de Cashmans zat. 'Maar, zoals u ook weet, zijn we een club die is gebaseerd op kwaliteit, en ik ben bang dat het gezelschap van de jongeheer niet gekleed is voor deze gelegenheid. Maar jullie kunnen natuurlijk aan de bar zitten, of de jongedame kan naar huis gaan om zich om te kleden...' zei hij discreet. Baby werd rood. Ze voelde zich alsof ze in *Pretty Woman* zat, toen Julia Roberts, de hoer met het gouden hart, uit een boetiek op Rodeo Drive werd geschopt. Naast haar schuifelde J.P. verlegen met zijn in Gucci-instappers gestoken voeten.

'Onzin, we eten aan de bar. Dat is dichter bij de drank! Vooruit!' bulderde Dick. Hij ging naast Tatyana staan en kneep in haar enorme kont, die in een ultrasmal Prada-rokje was geperst dat er alleen goed uitzag op prepuberale Europese modellen.

'Het spijt me. Ik kan naar huis gaan en dan spreken we later af.' Baby haalde haar schouders op terwijl ze de lift in stapten, die werd bediend door een miljoen jaar oude bediende. Een kledingcode? Dat was iets voor school. Ze vond het belachelijk dat een restaurant zo streng zou zijn.

'Nee, het maakt niet uit. Het is mijn fout. Ik had het je moeten vertellen.' J.P. fronste zijn voorhoofd bezorgd en kneep in haar hand. Ze gingen het bargedeelte binnen, waar ze naast elkaar gingen zitten.

'Vier Glenfiddiches met ijs,' riep Dick zwierig. 'Whisky

repareert altijd alles. En de menu's. En hebben jullie hier ook barsnacks?'

Hoewel de ruimte donker was, met brokaten gordijnen, was het nog steeds licht buiten, en Baby kon de hoek van Central Park door het raam zien. Paard-en-wagens stonden langs Central Park South, en hardlopers pauzeerden op de hoek en rekten hun spieren. Baby zuchtte. Ze had het gevoel dat een eind rennen haar goed zou doen.

'Is alles in orde?' vroeg J.P. bezorgd toen er twee zware glazen voor ze werden neergezet, gevolgd door met pesto en prosciutto belegde minisandwiches. Baby nam aan dat het de barsnacks waren. Ze leken absoluut niet op de dagen oude Chex-mix in de pub in Upper West Side waar ze met Sydney was geweest. Ze nam een van de kunstig opgemaakte sandwiches en knabbelde aan een hoekje.

'Mijn vader vindt het hier geweldig. Ken je die oude mop van de Marx brothers? "Ik wil geen lid zijn van een club die me wil hebben"? Mijn vader is het tegenovergestelde. Hij hoort in elke club in de stad thuis,' kletste J.P. Baby dwong zich te glimlachen. Misschien was J.P. zenuwachtig in het gezelschap van zijn ouders, maar hij klonk alsof hij een golfmaatje wilde imponeren. Ze kneep weer in zijn hand en wees naar een vrouw in de zaal ernaast die een drankje in beide handen hield en voor steun tegen de piano leunde. Ze zag eruit alsof ze elk moment kon gaan zingen, en dat op een plek als deze. Baby vroeg zich af of iemand haar zou tegenhouden. J.P. grijnsde breed en schudde zijn hoofd. Baby at de rest van haar sandwich en was opgelucht. Het was gewoon J.P., haar vriendje. Ja, hij was opgegroeid in dit leven van belachelijke overvloed, maar wie was zij om daar een oordeel over te vellen? Zij was opgegroeid met buiten slapen en een moeder die wekenlange losbandige feesten op het strand organiseerde. Op een bepaalde manier was het min of meer hetzelfde.

Afgezien van de privéclubs, de privéhelikopters en de particuliere investeringen.

'Goed, ik neem het hert,' verkondigde Dick tegen de barman. 'Zal ik het gewoon voor iedereen bestellen? En meer drankjes. Verras ons.' Dick tikte joviaal tegen zijn cowboyhoed naar de barman.

Omdat cowboyhoeden uiteraard wel een onderdeel van de kledingvoorschriften zijn.

'En, Baby, vat ka je draken naar ze feest op zaterdak?' vroeg Tatyana, terwijl ze haar vogelbekdierachtige lippen tuitte. Ze boog zich zo dicht naar haar toe dat Baby moest uitwijken om geen Chanel-lippenstift op haar wang te krijgen.

'Ik weet het nog niet.' Baby haalde haar schouders op. Ze had er nog niet echt over nagedacht wat ze zou dragen naar het liefdadigheidsbal, ook al was het morgenavond al. Liefdadigheidscampagnes in Nantucket werden op het strand of in de brandweerkazerne gehouden.

'Misskien kunnen we samen kaan wienkelen. Maar ze probleem ies dat je zo maker bent. Eet, eet!' Tatyana duwde nog een sandwich in Baby's richting, die hem haastig aanpakte. Als ze dat niet deed, zou J.P.'s moeder hem waarschijnlijk aan haar voeren. Tatyana smokkelde twee sandwiches in de draagtas en de hond begon luidkeels te grommen. 'Dat ies dan kerekeld.' Ze draaide zich weer naar Baby om. 'We kaan wienkelen voor ze perfecte jurk voor morkenavond.'

'Nee, maakt u zich geen zorgen...' Baby's stem stierf weg. Ze stelde zichzelf voor met Tatyana Cashman als haar stiliste. Aan het eind van de dag zou ze donkere lippenstift en een superstrakke gouden broek dragen.

'Waarom ga je niet met haar mee? Het is leuk om een nieuwe jurk te krijgen.' J.P. boog zich naar Baby toe en fluisterde in haar oor. 'Jullie zouden plezier hebben.'

Plezier? Baby's glimlach verdween. Sinds wanneer was Winkelen voor Feestjurken + Baby Carlyle = Plezier? Kende hij haar helemaal niet? Zelfs al werd ze niet toegelaten in chique privéclubs omdat ze een beetje, nou ja, uniek was, dat was toch wat hij leuk aan haar vond?

'Goed, dank je, dat zal geweldig zijn,' mompelde Baby terwijl ze aan de nieuwe appetizer plukte die was neergezet, een smakeloze geleiachtige substantie die eruitzag als boomschors. Tatyana knikte waarderend, blij dat ze nuttig kon zijn.

'Goed, nu dat geregeld is, neem ik mijn dame mee voor een vrolijke dans!' Dick trok Tatyana omhoog en trok haar mee naar de dansvloer. Ze dansten op een paar ouderwetse Frank Sinatranummers. Het was heel schattig, in zekere zin. Baby wist dat J.P.'s ouders het goed bedoelden, en J.P. ook. Ze voelde haar Nokia tegen haar heup en dwong zichzelf om niet te denken aan wat voor leuke dingen Sydney, Mateo of iemand anders van de RR'ers op dit moment aan het doen was.

'Weet je wat echt leuk zou zijn?' fluisterde Baby plotseling geïnspireerd tegen J.P. Ze nam nog een slok whisky en veegde haar mond af met haar hand. 'Laten we een afspraak maken dat waar we ook zijn en wat er ook gebeurt, als een van ons de ander belt en heeft besloten om naar... eh, ik weet niet, Barcelona te gaan, dan stappen we op het eerstvolgende vliegtuig. En we nemen niets mee, behalve paspoorten. Wat vind je ervan?' Baby sprong opgewonden op het dikke kussen van de barkruk op en neer.

'Gewoon... gaan?' vroeg J.P. verward. 'En school dan?'

'Schrijf er een verslag over! Kom op! Leef een beetje. Niet nú,' voegde ze eraan toe. 'Maar binnenkort een keer. Als ik je bel. Of als jij mij belt.' Baby's ogen zochten die van J.P. Hij móést ja zeggen. Achter haar greep Dick naar Tatyana's kont. Hij was hun eten blijkbaar vergeten toen de pianist 'Strangers in the Night' speelde.

'Ik doe mee,' zei J.P. uiteindelijk terwijl hij begon te glimlachen. Baby glimlachte opgelucht terug. Ze kon nauwelijks wachten om de wereld te beleven, vooral met haar vriendje naast zich.

'*Salud*!' voegde J.P. er op goed geluk aan toe. Het betekende 'proost' in het Spaans. Hij tilde zijn glas op en Baby toostte opgewekt met hem.

Inderdaad, salud.

Disclaimer: alle namen van plaatsen, mensen en gelegenheden zijn veranderd of afgekort om de onschuldigen te beschermen. Mij, vooral.

Topics | Gezien | Jullie e-mail | Stel een vraag

Ha mensen!

Klaar voor wat liefdadigheid?

Het is het eerste grote feest van het seizoen. Het jaarlijkse St. Jude-liefdadigheidsfeest van het zwemteam mag officieel bedoeld zijn om de minder gefortuneerden ten goede te komen – technisch gezien gaan de opbrengsten naar zwembadtijd voor openbare scholen in het Y – maar met een zwemmersveiling die het koppelen nogal aanmoedigt, komt het in werkelijkheid aan ons allemaal ten goede. Het is een herfsttraditie geworden, de aftrap naar kattenkwaad, de officiële goedkeuring dat we, ter onderbreking van het studeren voor AP-testen en het meedoen aan alle buitenschoolse activiteiten die er zijn, onze boeken moeten neerleggen, onze uniformen moeten uittrekken, onze hakken moeten aantrekken en ons moeten misdragen. Omdat het voor het goede doel is, hoef je niet verlegen te zijn om je bordje omhoog te steken voor die vlinderslagzwemmer met de waanzinnige schouders of het schatje van wie je persoonlijk de schoolslag wilt leren. Maar voor de nieuwelingen, denk eraan: dit is een door school gesponsord evenement. Wat ik daarmee bedoel? Hou je flacons paraat en wees erop voorbereid om op elk moment naar nuchter te switchen. Je weet nooit wanneer een volwassene naar de jonge en vrolijke tafels loopt om ´een band te kweken´. Zeg niet dat ik je niet heb gewaarschuwd.

Met dat in gedachten is het onder mijn aandacht gekomen dat er de laatste tijd een flink aantal schendingen van de etiquetteregels is geweest. Hoewel ik niet ouderwets wil klinken, is het in het belang van jullie allemaal dat je jezelf niet helemaal voor schut zet bij de eerste grote gebeurtenis van het jaar. Om je te helpen is hier een handig overzicht van gepast gedrag.

Niet sms´en onder de tafel. Volg in plaats daarvan de meer romantische en Henry James-achtige weg en stuur je potentiële scharrel een berichtje via de ober. Je krijgt bonuspunten als het berichtje voor de ober is.

Kleed je gepast. Met ondergoed dus. Aanvullend voor de heren: zelfs als je date een decolleté ontblotende Chloé-jurk draagt waarvan de met edelstenen bezette schouderbandjes ´per ongeluk´ naar beneden glijden, heb je geen toestemming om naar haar borsten te staren.

Denk aan **de gouden drinkregel**: maximaal een drankje per uur, en drink één glas Pellegrino voor elk glas Veuve. Alsof iemand van ons dat bij kan houden.

Rol dit lijstje op en stop het in je sigarettenetui. Of laat het in rook opgaan. Gave feesten krijg je alleen als je de regels ontduikt!

Gezien

A, die haar kamp opslaat bij Serafina in Sixty-first en Madison, waar ze haar derde cappuccino drinkt met een rij jongens voor de deur. Interviewt ze mogelijke kandidaten voor het liefdadigheidsfeest? **B** aan het winkelen met **J.P.**´s moeder, in Barneys. En Bergdorf. En Bloomingdale´s. O hemel. Laten we hopen dat ze iets hebben wat niet van glimmende stretchstof is! **O**, die een beetje verdrietig kijkt, als hij steeds maar weer rondjes om het Central Park Reservoir rent. Is hij zijn uithoudingsvermogen aan het opbouwen voor vanavond? **J**, **S.J.** en **G**, die voor het Y aan Ninety-second Street staan. Hopen jullie een vroeg bod te kunnen uitbrengen, dames?

Jullie e-mail

V: Lieve Gossip Girl
Ik werk in een exclusieve salon op Fifth Avenue, en vanmiddag hadden we een groep heel aantrekkelijke mannen die binnenkwamen voor een harsbehandeling – alles ging eraf, met inbegrip van het gezichtshaar. Ze zagen er zo goed uit dat we nu een aanbieding hebben voor harsen voor mannen. Ik weet dat iedereen je leest, dus ik dacht dat ik je hulp kon inroepen om de boodschap door te geven.
– Wax 4 Less

A: Lieve Wax 4 Less,
Hallelujah, en ik spreek voor de dames van Upper East Side als ik zeg dat dat geen moment te vroeg is! Jongens die de boodschap niet hebben gekregen? Beschouw dit als de laatste waarschuwing om je gezichtshaar af te danken, alsmede het niet zichtbare haar op niet nader te noemen plekken.
– GG

Een laatste opmerking over etiquette

Een van de grote bekoringen van een feest is de mogelijkheid om de partner van je dromen te ontmoeten. En als je dat doet, wil je hem natuurlijk leren kennen. Echt leren kennen. Maar ongeacht welk hoekje je vindt – of dat onder een tafel, in een lift of in het bed van de ouders van de gastheer is – het is nooit zo privé als je denkt. Dus ga voorzichtig te werk. Er kijkt altijd iemand. En niet alleen ik.

Tot ziens allemaal op het liefdadigheidsfeest!

Je weet dat je van me houdt,

gossip girl

21

Het perfecte plaatje

'Dames gaan voor.' Tristan St. Clair hield de zwarte deur van de glanzende auto open voor Avery. Ze glimlachte breed, bijna verdrietig dat ze hun bestemming hadden bereikt: het hoge Delancey, een spiksplinternieuw Lower East Side-boetiekhotel, dat eruit sprong tussen de omringende appartementencomplexen. Een koninklijk blauwe loper met een patroon van in goud geschreven D's bedekte het trottoir, en drie portiers stonden bewonderend te kijken. Het was allemaal té 'perfect'.

Dat is toch het woord van iemand anders?

Tristan was net zo knap als op zijn foto's, en was gelukkig voor het weekend van Buckhead, een particuliere school in Pennsylvania, naar zijn huis in Manhattan gekomen. Hij was in de auto van zijn ouders, die gevuld was met flessen gekoelde champagne, aangekomen bij het penthouse van de Carlyles om haar op te halen. Ze hadden met elkaar getoost terwijl de auto het centrum in reed en ze praatten over zijn aanvoerderschap van het Buckhead-squashteam en haar liefde voor New York City. Ze hadden zelfs alvast plannen gemaakt om de zondag in het Met door te brengen, omdat Avery nog geen kans had gehad om er naar binnen te gaan sinds ze naar de stad was verhuisd.

'Ik heb gehoord dat ze die jongen vijfhonderd dollar per uur moet betalen om met haar mee te gaan. Ze heeft korting omdat hij de achterachterkleinzoon is van een van die vrouwen van de Raad van Toezicht van Constance. Hopelijk is het haar eigen geld en niet dat van Constance,' fluiterde Chelsy Chapin, een vierdejaars met een mopsneus tegen Elisabeth Cort, een helaas zwaarlijvige vijfdejaars, terwijl Avery het Delancey nonchalant binnenliep aan de arm van Tristan.

'Hallo,' begroette Avery ze terwijl ze haar uitnodiging gaf. Door het feit dat ze onmiddellijk bloosden wist ze dat ze over haar hadden gepraat. Nou en, wie kon het iets schelen? Zíj waren degenen zonder date die op de aardbeienjamkleurige tweezitsbank in de hal zaten en uitnodigingen controleerden. Ze voelde Tristans sterke arm in haar rug en ze was helemaal zenuwachtig, een gevoel dat ze gewoonlijk alleen had als ze te veel ijskoffie van Dean & DeLuca dronk.

Het was zo fíjn om een vriendje te hebben, dacht Avery, terwijl hij haar naar de lift begeleidde.

Vriendje? Kalm aan, tijger!

Terwijl de lift naar de drieëntwintigste verdieping suisde, kon Avery de vlinders in haar buik nauwelijks in bedwang houden. Ze bekeek haar spiegelbeeld in de spiegelende wanden van de lift. Ze vond het heerlijk dat ze maar tot Tristans kin kwam. Ze was altijd lang geweest, en vanavond droeg ze kastanjebruine Viktor & Rolf-schoentjes met tien centimeter hoge hakken en een open hiel, die perfect pasten bij haar kasjmieren Stella McCartney-jurk met korte mouwtjes. Het betekende dat Tristan écht lang was. Ze voelde zich nog zenuwachtiger dan op haar eerste dag op Constance. Eindelijk, met Tristan naast haar, ging ze haar klasgenootjes bewijzen dat ze niet een of ander excentriek, achtergebleven plattelandsmeisje was. Ze was Avery Carlyle, een meisje voor wie jongens alles wilden doen.

Vertel het ze maar, zuster!

'Je ziet er prachtig uit,' mompelde Tristan in Avery's pasgewassen, glanzend blonde haar – een compliment voor haar stilist Nico in de Oscar Blandi-salon. Daarna nieste hij.

'Sorry.' Hij fronste zijn voorhoofd terwijl hij een stralend witte zakdoek uit zijn zak pakte en discreet zijn neus depte. Een zakdoek? Avery probeerde haar enthousiasme te verbergen. Wat volwassen en gedistingeerd!

'Weet je, ik moet toegeven dat ik een beetje zenuwachtig was toen oma Muffy dit regelde. Ze kan soms een beetje... excentriek zijn,' vertelde Tristan terwijl ze tussen de grote ronde tafels in de feestzaal met het hoge plafond laveerden. Máár? Avery's hart begon sneller te slaan.

'In truffelolie gegaarde scharrelkipdumplings?' Een overijverige, kale ober duwde een dampende zilveren schaal onder hun neus. Avery schudde haar hoofd en had de neiging de schaal weg te duwen. Haar maag rommelde, maar dat zou ze later regelen. Ze moest weten wat Tristan van haar vond.

'Wat zei je?' vroeg Avery liefjes terwijl ze hoopte dat ze niet te doorzichtig was. Ze duwde een verdwaalde haarlok achter haar oor, staarde in Tristans blauwe ogen en beet nerveus op haar met MAC glanzend gemaakte onderlip.

'Heeft iemand je al eens verteld hoe mooi je bent?' vroeg Tristan terwijl hij haar handen vasthield en in haar blauwe ogen staarde. Avery voelde dat ze smolt. Tristan nieste weer en Avery trok bezorgd een net geëpileerde wenkbrauw op. Zou hij ziek worden? Ze stelde zich voor dat hij tuberculose kreeg, of welke ziekte het was die minnaars altijd leken te krijgen in negentiende-eeuwse opera's. Ze zou hem heldhaftig verplegen op de een of andere berg en sterk blijven voor haar enige ware liefde. Als hij was gestorven zou ze een stichting voor hem oprichten en fantastische feesten geven, terwijl ze elegante zwarte jurken met een kanten sluier droeg.

'Sorry,' zei Tristan berouwvol. 'Het is gewoon mijn allergie. Ik denk dat we onze tafel moeten opzoeken.'

'Hallo!' Baby kwam naar ze toe lopen en porde Avery hard in haar ribben. Avery nam haar zeven minuten jongere zusje op. Hoewel ze in hun appartement had gezien hoe ze zich aankleedde, was Baby verbluffend mooi nu ze haar in het openbaar zag, naast de onberispelijk geklede J.P. Cashman. Avery had haar niet zo mooi aangekleed gezien sinds ze tien waren en oma Avery ze had meegenomen naar de paasdienst in de anglicaanse kerk op Park Avenue. Baby droeg een witte Rodarte-jurk met zwarte chiffon bloemen erop geborduurd. Ze zag eruit als een elegante bosgeest. Avery keek naar beneden en zag dat Baby ondanks haar couturejurk nog steeds haar favoriete vuilwitte Havaiana-slippers droeg.

Sommige dingen veranderen nooit.

J.P. zag er onberispelijk uit in een splinternieuw, staalgrijs Brooks Brothers-maatkostuum. Normaal gesproken zou Avery een beetje jaloers zijn geweest bij de aanblik van haar hippiezusje aan de arm van de meest begerenswaardige vrijgezel van Upper East Side, maar nu, met Tristans sterke, door squash met eeltplekken bedekte hand beschermend op haar heup, glimlachte ze gewoon.

'Ik heb onze tafel gevonden – nummer negentien. Owen en Zij-Die-We-Niet-Zullen-Noemen houden plaatsen voor ons vast.' Baby rolde met haar grote, bruine ogen. 'Ik dacht dat we de stelletjes de tijd moesten geven die ze zo graag willen hebben.' Avery glimlachte. Baby was heel erg sarcastisch, maar omdat ze zo lief klonk, zou niemand ook maar met zijn ogen knipperen.

Ze liepen naar de tafel, waar Owen strak naar het tafelkleed staarde. Met zijn hemelsblauwe Hermès-stropdas, die perfect paste bij zijn intens blauwe ogen, zag hij er modieus en knap uit. Geen wonder dat alle meisjes naar hem keken. Toch leek Owen in zijn eigen wereldje te zijn, terwijl Jack vrolijk kletste met Owens vriend, Rhys Sterling, en zijn vriendin.

'Je ziet er mooi uit, Ave,' mompelde Owen. Hij knikte naar Tristan, die vlak naast haar stond. 'Hoi,' zei hij bij wijze van jongensbegroeting.

'Dank je,' antwoordde Avery. Ze hoopte dat het haar ijskoninginnenstem was. Ze staarde naar Jack, maar die keek niet op. Om hen heen schuifelden mensen naar hun tafels, met inbegrip van Edie, die van een kunstopening rechtstreeks naar het hotel was gekomen. Ze droeg een roze-met-blauwe sari, haar haar was opgestoken met eetstokjes, en ze gebaarde wild terwijl ze diep in gesprek was met een zakenman met een saai uiterlijk. Owen en Avery keken elkaar aan en glimlachten op hetzelfde moment. Avery voelde haar hart een beetje week worden. Misschien was het niet zo erg dat Owen afspraakjes maakte met de Duivel. In elk geval kon Jack nu van dichtbij zien dat Avery absoluut níét single was. Avery boog zich naar Tristan toe.

Op dat moment kwam er een fotograaf op ze af.

'Ik ben Bill, van *The New York Times*. Mag ik, dames? Avery glimlachte gemaakt terwijl zij, Kelsey, Jack en Baby dicht bij elkaar drongen. 'Prachtig! Jullie zijn de rozen van Upper East Side,' zei de fotograaf terwijl hij klikte.

Kijk maar uit voor de doornen.

Avery kon het niet laten om haar gemanicuurde nagels een klein stukje in Jacks albasten huid te zetten terwijl ze schouder aan schouder tegen elkaar aan duwden.

Glimlachen!

Ze trokken terug en gingen weer aan de tafel zitten. Er viel een pijnljke stilte.

Owen keek hulpeloos van Avery naar Tristan naar Rhys naar Kelsey naar Baby naar J.P. naar Jack. Hij kon de spanning aan de tafel bijna voelen. Rhys voerde Kelsey een gefrituurde olijf. 'Wil iemand iets drinken?' vroeg Owen suf. Enthousiaste obers brachten alcoholvrije cocktails met grappige namen zoals Bruisende Zeemeermin en Glibberige Zeehond rond. De alcoholvrije cocktails waren alleen acceptabel omdat iedereen die was uitgenodigd de procedure kende en zijn eigen alcohol had meegebracht. Owen wilde dat hij een hele fles had meegenomen in plaats van een flacon. Hij had er alles voor over om zich er niet meer druk over te maken dat Rhys en Kelsey elkaar aanraakten.

'Ik wil wel, dank je.' Jack glimlachte en raakte Owens arm aan, waarmee ze hem terugbracht naar de realiteit. Ze droeg een prachtige kastanjebruine jurk, haar haar was op een ingewikkelde manier opgestoken, een paar lokken van haar zijdeachtige roodbruine haar vielen op haar schouders.

'Hier.' Owen schonk stiekem een flinke scheut Maker's Mark van zijn flacon in haar Diet Coke.

'Dank je.' Jack zag dat de handen van Avery en Mr. Perfecte-Particuliere VWO-scholier verstrengeld waren onder de tafel. Avery zag er net zo uit als haar broer, zo puur alsof er nooit iets naars met haar was gebeurd. Intussen waren J.P. en Baby langzaam weggelopen van de tafel. Ze stonden bij een van de grote panoramaramen bewonderend naar beneden te kijken, alsof ze een vuurwerkshow zagen in plaats van smerige voormalige huurappartementencomplexen. Jack vocht tegen de neiging om op te staan en te schreeuwen. Ze wilde íéts doen om ze uit hun o-zo-verdomd-gelukkige dagdromerij te halen. Ze hoopte dat J.P. luizen of een andere vernederende overdraagbare ziekte van Baby kreeg, die er, realiseerde Jack zich, vanavond helemaal niet vies of hippieachtig uitzag.

Ze voelde kleine tranen achter haar ogen prikken en veegde ze boos weg. Hallo, ze zat in elk geval niet aan de tafel voor de single meiden. Ze voelde zich geweldig. Perfect, zelfs. Ze leegde haar glas en zette het abrupt op het witte tafelkleed.

'Je ziet er prachtig uit,' fluisterde Owen in haar oor. Jack hoorde een zweem van dwangmatigheid in zijn stem, en ze wist dat hij probeerde te negeren dat Rhys en Kelsey aan de andere kant van de tafel voortdurend aan elkaar zaten. Ze draaide zich naar Owen om en duwde bijna in trance haar lippen op de zijne. Zijn mond smaakte naar munt en zijn tanden waren glad als porselein. Owen zat heel even doodstil, maar daarna bewogen zijn lippen gretig tegen de hare.

Jack trok zich terug toen ze J.P.'s vertrouwde gekuch hoorde. Hij trok de stoel naast haar naar achteren, wat een schrapend geluid maakte, en Baby en hij gingen weer zitten. Alsjeblieft, klootzakken, dacht Jack triomfantelijk. Ze haalde haar schouders even op en draaide zich terug naar Owen. Ze was er verbaasd over hoe leuk ze het vond om hem te zoenen. Owen nam een slok van zijn drankje en glimlachte een beetje.

'Attentie allemaal.' De zwemcoach van de jongens stond op van de centrale tafel en tikte tegen de microfoon. Er klonk luid gejuich en tweehonderd gasten bedekten hun oren. Het smokingoverhemd van de coach was opengeknoopt, zodat er vijftien centimeter perfecte, onbehaarde, glanzende borstkas zichtbaar was, en zijn roodbruine haar stond in onregelmatige plukken overeind. Hij leek een beetje op een ingevette babyeend.

Jack draaide zich om naar J.P., die iets in Baby's oor fluisterde. Baby gooide haar hoofd achterover en haar kleine tanden glansden. Ze vroeg zich af wat J.P. te vertellen had dat zo grappig was. Vertelde hij kinderachtige moppen? Jack staarde naar een punt boven J.P.'s ogen. Het was een truc die ze op ballet had geleerd, om er zeker van te zijn dat haar partner naar haar keek op het moment van een sprong of een tour jeté. Ze wachtte tot J.P.'s ogen wegkeken van Baby's gevoelige mond. Zodra ze wist dat ze zijn aandacht had, draaide ze zich naar Owen om, pakte zijn kin vast en kuste hem weer, harder en hartstochtelijker dit keer. Als de wereld een podium was, dan gaf zij de uitvoering van haar leven.

Wie speelt er toneel?

Er hangt liefde in de lucht... onder meer

'We gaan dus echt bieden? En accepteren ze AmEx?' vroeg Jiffy terwijl ze haar lange bruine pony uit haar ogen duwde. De etensborden waren weggehaald, de lichten waren gedimd, het muziekvolume was opgeschroefd en de meeste ouders hadden al gulle cheques uitgeschreven om het goede doel te steunen en verdwenen om hun avond in het Met voort te zetten.

'Nee, we gaan doneren. Het is voor het goede doel. Het is niet alsof we dates kopen, wat denk je wel niet? We geven gewoon voor het goede doel,' zei Genevieve verdedigend, waarna ze een flinke slok nam van haar urinekleurige drankje dat duidelijk een met veel wodka aangelengde Bruisende Zeemeermin was.

Avery bleef even staan toen ze haar vroegere vriendinnen hoorde terwijl ze voor een tonic op weg was naar de bar. Ze had bijna medelijden met ze omdat ze op afspraakjes moesten bieden.

Het sleutelwoord is 'bijna'.

Ze negeerde ze en liep terug naar haar tafel, waar Tristan al stond met haar stoel naar achteren getrokken.

'Dank je!' Avery zweeg en rommelde in haar smalle zwarte vintage Prada-tasje, dat ze van oma Avery had geërfd. Thuis had ze een foto van oma Avery die het tasje vasthad tijdens een kerstfeest in het Witte Huis, lachend met Jackie Kennedy. Je kon Marilyn Monroe nog net jaloers zien pruilen in een hoek. Avery had het tasje meegenomen om geluk te brengen, maar ze kon niet geloven hoe soepel de avond verliep. Ze pakte een reisverpakking Creed Love in White en spoot voorzichtig een beetje achter haar oren terwijl ze de geur van sinaasappelen en sandelolie opsnoof. Ze moest denken aan de opmerking van Estée Lauder die haar oma ooit aan haar had doorgegeven: 'Parfum is als liefde – je kunt er nooit genoeg van krijgen.' Ze spoot nog een beetje op haar sleutelbeen.

'Stop!' hoorde ze Tristans paniekerige stem. O. Wilde híj het op haar spuiten? Ze wachtte even en gaf hem het flaconnetje. Ze wilde dat het vanavond allemaal om de liefde draaide. Ze zag het al helemaal voor zich: Tristan en zij zouden een fantastische bruiloft hebben in St. Patrick, die werd gevolgd door een huwelijksreis naar Capri, en daarna zouden ze hun intrek nemen in een huis dat precies leek op dat van oma Avery...

Haar droomwereld werd ruw onderbroken door een enorme, spuug verspreidende nies.

'O, mijn god.' riep Tristan. Zijn ogen waren rood en er stond een geschokte uitdrukking op zijn gezicht. Hij stopte zijn hand snel in zijn zak, haalde er een grote roze pil uit, gooide die in zijn mond en dronk een heel glas water leeg. Avery wachtte bezorgd.

'Is alles goed met je?' vroeg ze. Was hij aan de drugs? Waarom moest er altijd iets mankeren aan de jongens met wie ze probeerde uit te gaan?

En waarom bestaat er niet zoiets als een vriendjesgarantie?

Tristan nieste weer, nog harder dan eerst. Kleine druppels geel snot belandden op het tafelkleed. Aan de andere kant van de tafel zag Baby eruit alsof ze in lachen zou uitbarsten. Avery keek haar aan met een dodelijke blik.

'Is alles goed? Wat is er aan de hand?' herhaalde Avery bezorgd. Ze realiseerde zich dat iedereen, met inbegrip van de coach, naar ze keek.

'Is tafel negentien in orde, of hebben ze even tijd nodig?' schreeuwde coach Siegel in de microfoon. 'Ik moet zeggen, mensen, dat is het effect dat mijn sterzwemmers, Rhys en Owen, nu eenmaal op een tafel hebben.' Beleefd gelach golfde door het publiek.

'Owen is mijn zoon!' hoorde Avery haar moeders karakteristieke stem, waarna ze op haar vingers floot.

'Het is prima,' zei Tristan naar adem snakkend, waarna hij weer nieste. Avery probeerde haar stoel een stukje weg te schuiven zonder dat het opviel.

'Prima dus,' herhaalde ze. Ze richtte haar volle aandacht weer op het programma.

'Goed, mensen, nu alles rustig is gaan we beginnen met onze zwemmersveiling. Als deze zwemmers eenmaal in hun seizoen zitten, mogen ze van mij geen meisjes zien, dus geniet ervan zolang het kan. En denk eraan, het is allemaal voor het goede doel.' De coach keek verlekkerd naar het publiek. 'En vergeet niet, dames, ik ben ook single en jullie kunnen op mij bieden als dit deel van de avond achter de rug is.' Hij likte suggestief aan zijn lippen en draaide zich weg van de microfoon om de magere arm van Chadwick Jenkins te pakken. Chadwick droeg een zwart pak en een paarse das en zag eruit alsof hij was aangekleed door Calvin Klein Kids. Hij verplaatste zijn gewicht zenuwachtig van zijn ene voet op de andere en gluurde de zaal in.

Tristan nieste weer, met een geluid dat klonk alsof hij een zeehond was die opdook voor lucht.

'Is dat een bod?' De coach keek naar hun tafel en Avery voelde dat ze vuurrood werd. Tristan schudde zijn hoofd en deed zijn servet voor zijn mond en gezicht. Geweldig. Nu zag hij eruit alsof hij op het punt stond een bank te beroven.

'Twintig dollar?' piepte een broodmager meisje dat waarschijnlijk Chadwicks kleine zusje was terwijl ze haar bordje opstak. Een van de jongens van het zwemteam juichte.

'Vijftig.' Hugh Moore hield met een verveeld gebaar zijn bordje omhoog. Er lag een gemene grijns op zijn gezicht.

'Goed, we hebben vijftig.' De kraalogen van de coach glommen en hij keek in de zaal rond om te zien of er vrouwen keken. Avery gebruikte de pauze om Tristan hard op zijn arm te tikken. Hij draaide zich naar haar om, zijn gezicht vuurrood, alsof hij net tien kilometer had hardgelopen. Dat was het. Als hij doodging, kon hij dat net zo goed in de hal doen. Ze trok hem uit zijn stoel en langs de rand van de zaal, zich er maar al te zeer van bewust dat alle ogen op haar gericht waren.

'Iemand anders? We hebben vijftig dollar voor Chadwick,' verkondigde de coach terwijl alle ogen terugkeerden naar de doodsbange derdejaars.

'O, ja, slaaf! Wacht maar tot je mijn kluisje mag schoonmaken,' hoorde Avery Hugh juichen. Getver. Op dit moment zou ze er vijftig dollar voor overhebben om van Sneezy af te zijn.

'Wat is er aan de hand?' vroeg Avery zodra ze de feestzaal uit waren en in de hal met het roze behang stonden.

'Hatsjoe!' Tristan nieste opnieuw, en daarna nog drie keer. Hij leunde tegen de muur om zijn evenwicht te bewaren terwijl hij de rug van zijn hand langs zijn neus haalde.

Eh, getver?

'Het komt door jou.' Hij schudde zijn hoofd berouwvol. 'O, nee, het komt niet door jou, jij bent prachtig,' krabbelde hij terug. Hij nieste weer en een dunne boog groen snot landde gevaarlijk dicht bij Avery's jurk. 'O mijn god, ik dacht dat ik hieroverheen was,' riep hij. Hij stak zijn hand uit alsof hij Avery's schouder wilde aanraken, maar ze deinsde achteruit en kneep haar ogen achterdochtig tot spleetjes. Ze kon niet geloven dat haar date een biologische bom was.

'Het is je parfum.' Hij nieste weer. 'En die bloemen.' Hij knikte naar de smalle glazen vazen met orchideeën op de cocktailtafels in de zaal. 'Het spijt me. Ik moet waarschijnlijk mijn allergiespecialist bellen. Gaan we morgen nog naar het Met?' vroeg hij. Avery zag een hoopvolle schittering in zijn tranende blauwe ogen, maar ze schudde haar hoofd vastbesloten. Zó wanhopig was ze niet. Tristan haastte zich voortdurend niesend weg.

Avery keek naar zijn brede, verdwijnende rug en zuchtte diep. Ze rook aan haar pols. Misschien scheidde ze een nog niet ontdekt feromoon uit dat mannen afstootte.

Ze liep naar het raam en keek uit over Manhattan. De gebouwen leken spottend naar haar te knipogen. Hoe kwam het dat alles telkens instortte als ze zo dicht bij het beleven van haar New York City-droom was? Ze zuchtte. Ze wist dat ze haar kin in de lucht moest houden en terug moest naar de veiling, maar op de een of andere manier kon ze het niet. In plaats daarvan draaide ze zich om naar de lift en drukte net zo lang op de gouden knop tot de liftdeuren barmhartig openschoven. Ze kon net zo goed teruggaan naar haar appartement en er nooit meer uit komen.

Binnen ging de veiling verder en de gasten werden steeds luidruchtiger. Zelfs de ouders die waren gebleven juichten elke keer als een meisje een bod deed op een van de zwemmers. Jack vroeg zich af waar Avery naartoe was gegaan, en waarom haar vriend allergisch voor haar leek te zijn. Maar ze had belangrijkere dingen om aandacht voor te hebben. Ze had haar portemonnee zenuwachtig vast. Owen was de volgende die geveild zou worden, en als zijn date was ze min of meer verplicht op hem te bieden. Ze hoopte dat hij niet te duur was, maar aan de andere kant, wie wilde er iets goedkoops?

Een echte strikvraag.

'Goed, deze twee mannen leiden het team, dus ga ik ze naast elkaar zetten,' kondigde de coach opgewekt aan. 'Een beetje vriendelijke tweestrijd om ze te harden.'

Hij had géén idee.

Owen gluurde opzij naar Rhys terwijl hij van zijn ene voet op zijn andere stapte. Behalve tijdens de training had hij Rhys de afgelopen paar weken nauwelijks gezien. Zijn vriend zag er gebruind en ontspannen uit, alsof hij op vakantie was geweest. Owen glimlachte opgelaten. 'Hé, man,' fluisterde hij. Rhys knikte vrolijk terug.

'Goed, laten we beginnen. Rhys Sterling. Laat maar horen.' de coach duwde Rhys naar de voorkant van het podium.

'Tweehonderd dollar.' Kelsey stak haar bordje omhoog. Rhys gaf haar een handkusje en slaagde erin om het gebaar eerder romantisch dan goedkoop te laten lijken.

Jack keek naar het podium. Owen zag er knap uit, maar hij zag er ook uit alsof hij op het punt stond om op het podium over te geven.

'Tweehonderd dollar. Wat betekent dat?' De coach grijnsde. 'Goed, we hebben Rhys voor tweehonderd dollar, en gaan nu kijken of iemand dat wil evenaren –voor Owen Carlyle?'

Overal in de elegante feestzaal fluisterden aangeschoten schoolmeisjes koortsachtig met elkaar, legden hun geld bij elkaar en daagden elkaar uit om te bieden.

Jack stak haar bordje omhoog voordat iemand anders dat kon doen. 'Tweehonderdvijftig dollar. Voor mijn vríénd,' voegde ze eraan toe terwijl ze de algemene vrouwelijke populatie een 'opdonderen verdomme'-blik schonk. Ze keek uitdagend naar J.P., die Baby's hand vasthield en ernaar keek alsof hij een handlezer was.

'Vijfhonderd!' Een magere jongen achter in de zaal met een sikje stak zijn hand op, wild met zijn bordje zwaaiend.

'Goed, eh...' De coach keek in de zaal rond. Het was doodstil geworden en Owens oren waren vuurrood.

'We hebben dus vijfhonderd voor Carlyle en tweehonderd voor Sterling... Is er nog iemand die Sterling wil?' De coach keek hoopvol in de zaal rond.

'Driehonderd,' riep Kelsey, waarmee ze zichzelf overbood. Jack grijnsde.

'Goed, Sterling voor driehonderd en Carlyle voor vijfhonderd. Eenmaal, andermaal...' De coach keek nog één keer de zaal rond, en Jack voelde dat ze een strakke knoop in haar maag kreeg. Ze haatte het dat iedereen dit zo serieus nam, het leek verdomme Sotheby's wel. Ze moest haar verdomde denkbeeldige vriendje verdomme met denkbeeldig geld kopen.

'Zeshonderd voor Owen.' Jack stak haar bordje omhoog.

'Verkocht!' De coach sloeg met de hamer. Er verscheen een brede, opgeluchte grijns op Owens gezicht. Rhys en hij omhelsden elkaar vriendschappelijk en liepen onder een mager applaus terug naar de tafel.

'Dank je, lieverd.' Owen duwde zijn lippen op Jacks wang. Ze voelde een vreemde fladdering in haar maag.

'Hé, je bent het waard,' zei Jack plagerig, hoewel de gedachte dat ze zeshonderd dollar had betaald haar een beetje misselijk maakte. Op het podium werd Hugh Moore geveild. Jack rolde met haar ogen. Ze hadden een keer gezoend, in de tweede, de eerste keer dat Jack ooit dronken was geworden op een feestje. Ze had vier tequilashots gehad en was met hem geëindigd in de slaapkamer van zijn ouders. Ze waren gesnapt door zijn stijve societygastvrouw-moeder, die ze ter plekke een belachelijk en onnodig voorlichtingspraatje had gegeven – en dat terwijl ze elkaar alleen maar hadden gezoend, met al hun kleren aan. Níét iets waar Jack op dit moment aan wilde denken.

'Tweehonderdvijftig dollar!' hoorde Jack Jiffy's uitzinnige stem boven het lawaai uit. Jiffy kwijlde zowat. Getver. Ze mocht Hugh Moore hebben.

Hugh juichte en holde de trap af naar Jiffy, waar ze elkaar veel langer zoenden dan nodig of fatsoenlijk was.

'Goed!' De coach stapte het podium weer op. 'Nu al mijn jongens zichzelf hebben gedoneerd voor het goede doel, is het vanzelfsprekend niet eerlijk als ik dat niet doe. Laten we beginnen. Ik open het bieden op vijfhonderd dollar. En denk eraan, ik ben een eenzame man die geen vrouw heeft die voor me opkomt.' De coach zette puppyogen op en Jack zuchtte en dronk haar glas leeg. Konden ze niet opschieten? Hoeveel langer ging dit nog duren?

Waarom wil ze zo graag opschieten?

'Drieduizend!' Vanaf een van de oudertafels achter in de zaal schalde ineens een heldere stem. Zelfs de obers rekten hun nek uit om te kijken. Jack zag dat Genevieve haar handen voor haar ogen had geslagen en haar honingblonde hoofd schudde terwijl haar duidelijk dronken moeder opstond en naar het podium laveerde. Jack was meteen blij dat haar moeder nooit naar schoolbijeenkomsten kwam.

Alleen omdat ze daar thuis nooit iets over vertelde.

De coach bloosde en knoopte snel zijn shirt dicht. 'Goed, de veiling is voorbij!' verkondigde hij in de microfoon. Hij sloeg ceremonieel met de hamer terwijl de band in de hoek een vrolijke vertolking van 'The Lady Is a Tramp' begon te spelen.

Fantastische timing.

Intiem dansen... of zo

'Nou, wat vind je ervan, dude?' Rhys boog zich over Owen heen, die in zijn robijnrode met wodka gealcoholiseerde Glibberige Zeehond staarde alsof deze het geheim van het universum bevatte. 'We hebben het behoorlijk goed gedaan.'

'Ja,' antwoordde Owen kortaf. Hij keek naar Kelsey, die verdiept was in een ernstig gesprek met Baby. Ze praatte levendig met haar handen, alsof het haar niet kon schelen wie er keek. Owen wist dat het haar inderdaad niet kon schelen, wat een van de redenen was dat hij zich vanaf het eerste moment tot haar aangetrokken had gevoeld. Ze was mooi en eenvoudig en gewoon vríj... en er helemaal van overtuigd dat hij een zielloze klootzak was. Owen schudde zijn hoofd. Hij moest erg, heel erg dronken worden.

'Jij en Jack lijken goed bij elkaar te passen,' begon Rhys.

'Ja.' Owen haalde zijn schouders op. Hij wilde iemand slaan, of zijn smoking uittrekken en in de Hudson Rivier springen.

Hmm... 'zijn smoking uittrekken' klinkt interessant...

'Luister, man, is alles goed? Ik weet dat je een vervelende tijd achter de rug hebt, en het spijt me dat we niet meer samen hebben gedaan. Het is gewoon... Ik heb veel tijd met Kelsey doorgebracht, en, nou ja... ze is liever niet bij jou in de buurt. Het spijt me, man. Ze denkt dat je een ordinaire versierder bent. Ik weet niet waarom, maar je kent meisjes. Ze roddelen over iedereen en dan besluiten ze dat sommige dingen waar zijn.' Rhys liet zijn stem dalen, in de hoop dat hij er niet verkeerd aan had gedaan om Owen te vertellen hoe Kelsey over hem dacht. Maar hij miste het omgaan met Owen, en zijn vriend moest de echte reden weten waarom alles de laatste tijd zo anders was.

'Nee, het is cool.' Owen nam een slok wodka uit zijn flacon. Hij vond de manier waarop het in zijn keel brandde fijn.

'Maar we kunnen nog steeds met elkaar omgaan,' zei Rhys bezorgd. Owen leek echt van slag. Meisjes werden altijd zo boos als hun vriendinnen ze afdankten voor een jongen. Zo moest Owen zich ook voelen. Hij wilde niet zo'n soort vriend zijn.

'Hé, omdat je zo veel van vrouwen af weet...' Rhys glimlachte in de hoop dat het compliment zijn vriend zou opbeuren. Nog maar een paar weken geleden was Owen er altijd voor hem geweest. Zelfs toen hij het belachelijke idee had om Kelsey te stalken in een jarenzeventigpak, had Owen hem niet in de steek gelaten. 'Luister, ik heb je advies nodig.' Rhys liet zijn stem dalen, maar Baby en Kelsey waren nog steeds diep in gesprek, giechelend als verloren gewaande beste vriendinnen.

'Kelsey en ik gaan het vanavond doen,' biechtte Rhys op. Hij voelde een rilling van opwinding langs zijn ruggengraat gaan. Hij kon niet geloven dat het eindelijk ging gebeuren. Hij had een van de suites gehuurd en had alles tot in de puntjes geregeld. Hij en Kelsey hadden er zelfs over gepraat, dus zouden er vanavond geen verrassingen zijn: alleen verliefde, romantische perfectie. Hij prentte in zijn geheugen dat hij géén champagne meer zou drinken. Hij wilde zich elk moment ervan herinneren.

Owen hoestte. 'Wát?'

Rhys sloeg op zijn rug. 'Alles goed?'

'Prima!' Owen stamelde en deinsde achteruit alsof Rhys hem een stomp in zijn maag had gegeven.

'Weet je het zeker? Ik kan Jack halen om je te reanimeren,' zei Rhys in een poging om een grapje te maken.

'Nee!' schreeuwde Owen bijna. 'Ik denk dat ik gewoon... eh, ik heb lucht nodig,' hijgde hij. Hij rende de benauwde zaal uit. Zijn hoofd bonkte als een gek. Buiten de balzaal ging hij op een roze tweezitsbankje zitten en zuchtte diep. Een bewaker keek nieuwsgierig naar hem.

'Is alles in orde, jongeman?'

Owen keek naar de bewaker en knikte. 'Prima.' *Behalve dat mijn hele verdomde leven instort.* De bewaker knikte terug en liep de balzaal in.

Owen kwam overeind en haastte zich naar de zware eiken deur in de tegenoverliggende muur. Hij wist niet zeker waar de deur naartoe leidde, maar hij moest gewoon wég.

Eh... het damestoilet in?

Jack zuchtte terwijl ze naar haar spiegelbeeld in de ramen keek. Ze was meer dan gekleed voor de gelegenheid, in een nooit gedragen bruine Chanel-jurk, die tot halverwege haar dijen kwam en die ze afgelopen zomer in Parijs had gekocht en die ze achter in haar kast had gevonden, met sierlijke zwarte Louboutins. Maar iets voelde niet goed. Was het haar verbeelding of leken haar armen slapper en ronder dan ze eerst waren geweest? Ze draaide zich om, keek naar het midden van de dansvloer en zag Baby en J.P. dicht tegen elkaar aan dansen, zich niet bewust van de wankelende stelletjes om ze heen. Haar hoofd kwam maar tot zijn schouder. Als J.P. en Jack samen dansten, was ze altijd op ooghoogte met hem. Op warme, chocoladebruine ooghoogte. Ze pakte haar halfvolle glas en nam een flinke slok, in de hoop de pijn te verzachten die werd veroorzaakt doordat haar ex zo duidelijk verliefd was.

'Alles goed?' Jack keek op en zag Jiffy dronken naar haar toe strompelen, met Hugh achter haar aan. Jack trok een gezicht. Ze haatte het écht als haar vriendinnen vriendjes hadden, vooral als zij dat niet had. Owen moest terugkomen zodat ze zich in elk geval niet zo alleen voelde. Waar was hij trouwens?

Ze pakte een stukje chocoladetaart van een zilveren schaal die een ober in smoking haar voorhield zodat ze geen antwoord hoefde te geven op Jiffy's vraag. Ze stopte het in haar mond en pakte nog een stuk voordat de ober verdween. Verdomme, ze kon net zo goed dik worden.

'Dit is zó leuk!' Jiffy praatte duidelijk met dubbele tong, waarna ze Hugh zoende. Ze liet zich in Owens stoel vallen en trok Hugh boven op zich. Het was verbazingwekkend hoe een paar drankjes Jiffy konden veranderen in een *Girls Gone Wild*-video. Jack keek om zich heen. Genevieve zat in de hoek met een flacon en haar Treo. waarschijnlijk was ze haar verhuizing naar Californië aan het regelen. Dat deed ze altijd als ze zich ondergewaardeerd voelde.

Op dat moment kwam Rhys naar de tafel met twee drankjes in zijn hand. 'Hoi, wil jij er een?' Hij schraapte zijn keel en bood haar een glas aan. Ze accepteerde het dankbaar en dronk voorzichtig zodat ze de vloeistof niet op haar jurk morste. Ze vond het héérlijk als jongens haar bedienden. Wat kon het haar schelen of het antifeministisch of zoiets was? Ze was tenslotte een dame.

Alleen zonder een prins Charming.

'Het lijkt erop dat onze dates verdwenen zijn,' realiseerde Jack zich terwijl ze de tafel rond keek. 'Zullen we naar ze op zoek gaan?' Ze kon er niet meer tegen om omringd te zijn door vrijende stelletjes.

'Waarom niet,' antwoordde Rhys. Hij bood haar zijn arm aan en ze liepen samen de balzaal uit.

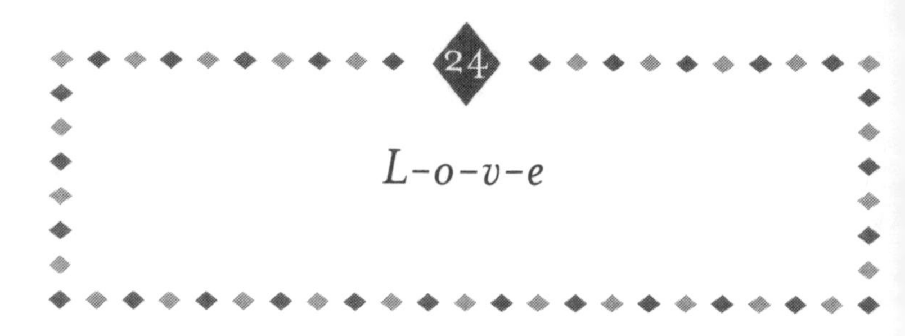

24 L-o-v-e

'Ik heb gehoord dat ze zich gaan verloven.' Jiffy gaf Hugh Moore een harde por.

'Wat?' Hugh keek van de nu lege tafel in de richting van de dansvloer.

Baby zuchtte en snuffelde in J.P.'s nek. Hij rook naar een combinatie van wasmiddel en leer. Het was een lekkere geur, maar ze miste soms de willekeurige, minder saaie geuren van wiet, of van het strand.

Of roze sigaretten?

Ze leunde dichter tegen hem aan. De band was al een hele tijd geleden gestopt en op dit moment speelde de dj een vreemde Justin Timberlake/Madonna-remix. Baby kon niet geloven hoe saai het was, maar J.P. leek het fantastisch te vinden. Niet dat dat Baby verbaasde. Hij was net zo gemiddeld als zij alternatief was. Maar, serieus, Justin Timberlake? Ze kon zich precies voorstellen hoe Sydney het belachelijk zou maken. Hemel, Sydney had haar zelfs belachelijk gemaakt omdat ze naar dit feest ging, hoewel ze niet bepaald een keus had gehad.

'Hoi.' Ze keek op naar J.P., die zachtjes neuriede. Baby glimlachte en hoopte dat hij de hint snapte dat ze klaar was om te gaan.

Naar een meer afgezonderde plek?

'Zullen we die fotograaf gaan zoeken? Het zal fantastisch zijn om foto's te hebben van vanavond,' stelde J.P. voor. Baby knikte en probeerde een zucht te onderdrukken. Ze wilde hier geen foto van. Het voelde allemaal zo nep. Ze had veel liever een foto als ze met zijn tweeën op East Lawn in Central Park lagen of elkaars handen vasthielden terwijl ze Brooklyn Bridge overstaken, of van bijna alles behalve dit. Ze zuchtte gefrustreerd.

'Is alles goed met je?' vroeg hij zachtjes. Baby knikte, hoewel haar voeten pijn deden, haar door Tatyana Cashman goedgekeurde jurk veel te strak zat, en ze er gewoon genoeg van had en weg wilde. Ze konden naar haar appartement gaan en op het terras zitten. Op het moment dat ze dat aan J.P. wilde voorstellen, zocht hij in de zak van zijn Armani-jasje en haalde er een klein doosje uit. CARTIER stond er op het deksel in bladgouden letters. Baby voelde een vaag gevoel van paniek oprijzen in haar keel, het was hetzelfde gevoel dat ze kreeg net voordat ze in het ijskoude water van de oceaan bij Nantucket dook. Ze wist wat er ging gebeuren maar ze was er te zeer bij betrokken om terug te krabbelen.

'Ik dacht dat je dit wel mooi zou vinden.' J.P. glimlachte verlegen en stak het doosje naar haar uit. Zwijgend pakte ze het uit zijn hand en haalde het deksel eraf. Op het zwarte fluweel lag een witgouden ketting. Het woord 'love' was gespeld in kleine onderkast letters, elke letter hing als een hanger aan het fijne kettinkje.

'Het is maar iets kleins,' zei J.P. toen hij de verontruste uitdrukking op haar gezicht zag. De ketting was mooi, het witgoud van de kleine letters ving het schemerige licht van de balzaal. Het was alleen iets wat ze nooit van haar leven zou dragen. Hij haalde hem uit het doosje, en ze huiverde toen zijn hand haar blote nek raakte. Ze had het gevoel of het kettinkje haar verstikte, en elke kleine letter haar naar beneden trok.

'Dank je.' Het lukte haar om een beetje te glimlachen. J.P.'s bruine ogen waren zo trouw. Ze deden haar denken aan de manier waarop zijn hond, Nemo, keek als ze heel graag uitgelaten wilde worden. Plotseling merkte ze dat iedereen nieuwsgierig naar ze keek. Ze moest hier wég.

'Zullen we naar Barcelona gaan?' vroeg ze dringend. Ze keek naar zijn scherpe jukbeenderen en intelligente bruine ogen en dacht dat ze een zweem van twijfel zag in de manier waarop zijn mond licht verstrakte. Baby hield haar adem in. Als hij nee zei, was het voorbij. Maar als hij já zei...

'Goed.' J.P. knikte terwijl er een brede glimlach over zijn gezicht gleed. 'Nu?'

'Ja,' fluisterde Baby, hoewel ze wilde gillen. *Ja, ja, ja!* Voor een keer verraste J.P. haar echt, en niet om zijn saaier-dan-saaie muzieksmaak. Ze keek om zich heen maar zag Owen of Avery nergens. Ze zou ze gewoon later bellen, als ze op het vliegveld waren. Ze wilde niet dat J.P. zijn enthousiasme verloor.

'Laten we het doen!' riep Baby opgewonden. J.P. kuste haar op haar lippen en Baby voelde een warme golf van sentimentele romantiek. Misschien waren ze toch hetzelfde. Baby voelde dat haar maag een salto maakte, alsof ze een vrije val maakte. Wie weet wat er zou gebeuren als ze eenmaal in Barcelona waren? Baby kuste hem, harder en dwingender dit keer.

'Laten we nu vertrekken en onze paspoorten halen,' fluisterde J.P. terwijl zijn handen met haar verwarde haar speelden. Baby knikte opgewonden.

Taxi!

25

Toiletten zijn niet alleen om te loungen

Owen kon de dreunende dj-muziek uit de zaal horen terwijl hij tegen de muur leunde. Voor het eerst was hij vanavond eindelijk alleen. Hij keek om zich heen. Afgaand op de lavendelgeur en de roze en lichtpaars gekleurde muren, was dit absoluut het lounge-deel van een damestoilet. In plaats van banken stonden er bad-kuipen gevuld met roze en paarse kussens. Hij zuchtte diep. Meisjes hadden het zo gemakkelijk. Ze hadden de mooiste bad-kamers, hun keuze van jongens... Hij nam een slok uit zijn half-volle flacon en zag zijn spiegelbeeld in de spiegel boven de bad-kuip. Hij had een verwilderde blik in zijn ogen en zag er ellendig uit.

Op dat moment ging de deur open en wankelde Kelsey naar binnen op haar stiletto's met tien centimter hoge hakken. Owen wreef in zijn ogen.

'Wat doe jij in het damestoilet? Is dat de manier waarop je meisjes scoort?' vroeg ze kortaf. Achter haar sloeg de deur veel-betekenend dicht. Kelseys blauwe ogen fonkelden, maar ze was nog steeds ongelofelijk, pijnlijk mooi.

'Hoi,' antwoordde Owen slap.

'Waarom kun je me niet gewoon met rust laten?' siste Kel-sey. 'Weet je wat, ik ga gewoon wel.' Ze zuchtte diep en draaide zich plotseling om.

'Nee, wacht!' riep Owen. Kelsey draaide zich weer om, haar groene jurk zwaaide rond haar bruine knieën.

'Waarom? Je weet dat ik je haat,' zei ze eenvoudig. Ze beet op haar onderlip alsof ze op het punt stond in tranen uit te barsten. Owen zat daar maar en voelde zich een idioot. Hij wist niet hoe hij moest beginnen met vertellen hoeveel hij van haar hield, dat hij haar nooit, nooit pijn had willen doen, maar dat hij geen keus had gehad. 'Wat we samen hebben gedaan betekende níéts?' ging Kat boos verder. 'Wat was dat verdomme? Ik had je verteld dat ik het nog nooit had gedaan. En toch behandelde je me als een willekeurig...' Ze stopte alsof ze naar het juiste woord zocht. 'Meisje,' gooide ze eruit, alsof dat de grootste belediging was die ze naar zijn hoofd kon slingeren. Owen schudde hulpeloos zijn hoofd. Hij probeerde haastig uit de stomme badkuip te klimmen en zijn voet gleed weg op de gladde marmeren vloer. Wat er ook gebeurde, hij kon haar niet weg laten gaan.

'Zo is het niet,' begon Owen. Hij wilde dat hij zijn handen door haar haar kon halen, of haar rug kalmerend strelen of... iets. Hij dacht aan Rhys. Maar plotseling, met Kat voor hem, was het duidelijk wat hij moest doen.

'Kelsey... Kat... luister, ik hou van je,' zei hij met een brekende stem. 'Het was geen onenightstand. Ik wist die avond al dat ik van je hield, maar toen ontmoette ik Rhys en hoorde ik hoeveel hij van je hield, en dat kon ik hem niet aandoen. Ik moest hem een kans geven.' Waarom had hij haar ooit laten gaan? Nu hij het had gezegd, leek het helemaal niet logisch.

'Ja, natuurlijk.' Kelsey schudde haar hoofd, maar haar zilverblauwe ogen leken onzeker. 'Het is waar,' zei Owen eenvoudig. Hij stapte uit het bad en liep naar haar toe. Hij wachtte en wilde haar naar zich toe trekken. 'Het spijt me zo, zo, zo verschrikkelijk.'

Ze deed een stap naar hem toe en plotseling was het alsof er een elektrische stroom tussen hun lichamen heen en weer ging. Ze pakte zijn hand en legde hem op haar borstkas. Owen rook de pijnlijk vertrouwde geur van de appelshampoo die ze gebruikte.

Ze was perfect. Dit was perfect. Hij voelde haar mond op de zijne en hij boog zich naar haar toe, terwijl hij wist dat het fout was. Maar dat zouden ze later uitzoeken. Het belangrijkste was dat Kat en hij bij elkaar waren.

Hij zat op de rand van een van de met kussens gevulde badkuipen en trok haar boven op zich. Hij kuste haar hartstochtelijk, dwingend. Hun handen gleden over elkaars lichaam, alsof ze grepen naar wat ze allebei hadden gemist.

'Volgens mij is dit een damestoilet.'

Owen hoorde stemmen voor de deur. Het kon hem niets schelen. Hij bleef Kat hongerig kussen en trok haar langzaam naar beneden, het bad in.

'O, mijn god.'

Owen hoorde een jongensstem. Hij keek op en duwde Kat voorzichtig van zich af. Rhys en Jack stonden verstard in de deuropening.

'O.' Kelsey probeerde overeind te komen, gleed uit en viel weer tegen Owen aan.

'Verdomme!' schreeuwde Rhys terwijl hij tegen de muur stompte. Het maakte een misselijkmakend geluid.

'Het is niet...' zeiden Owen en Kat op hetzelfde moment terwijl ze overeind probeerden te komen. Owen keek verwilderd van Rhys naar Jack. Hij wist dat dit heel erg leek. Heel erg.

'Loop naar de hel,' riep Jack. Ze keek naar Owen, zijn gezicht was rood en zijn hand lag op Kelseys rug. Ze had geweten dat hij nog steeds gevoelens voor Kelsey had, wat er in het verleden ook tussen ze was gebeurd. Dat was zo duidelijk, maar om het te zien, vlak voor haar ogen... Ze draaide zich om en liep naar buiten.

Rhys' hand bonsde omdat hij tegen de muur had gestompt en hij wilde huilen, maar hij werd gedreven door een withete woede, die door zijn aderen stroomde. Hij had het gevoel dat hij zou exploderen terwijl hij in één snelle beweging zijn Armani-jasje uittrok en zijn vuist op Owens neus plantte.

'O, god,' zei Owen verbaasd terwijl hij achteruitwankelde en er helderrood bloed uit zijn neus spoot.

'Nee!' riep Kelsey. 'Rhys, wat doe je nou?'

Rhys keek naar Kelsey door een waas hete, boze tranen. De manier waarop ze zijn naam zei was zo scherp, alsof ze hem echt haatte.

'Niets aan de hand.' Owen schudde zijn hoofd. Hij bedekte zijn neus en ogen met zijn hand, deels omdat hij het niet kon verdragen om de uitdrukking op Rhys' gezicht te zien.

'Goed, wat is hierbinnen aan de hand?' Twee grote uitsmijters stormden naar binnen, gealarmeerd door het lawaai. Ze pakten allebei een jongen, terwijl Kelsey hulpeloos in het midden stond.

'Het was niets, meneer,' zei Owen, terwijl het bloed op het roze tapijt stroomde. 'Gewoon een uitdaging. We waren toch van plan om weg te gaan.'

'Is dat waar?' De gespierde uitsmijter keek achterdochtig naar Rhys.

'Ja,' zei deze houterig zonder in Owens ogen te kijken.

'Goed, mooi. Jullie gaan eruit, nu.' De uitsmijter begeleidde de jongens naar de lift en Kelsey liep achter ze aan.

'Het spijt me,' zei Owen stom. Hij kon de manier waarop Rhys er op dit moment uitzag niet verdragen. Het zou gemakkelijker zijn als zijn gezicht alleen pure, tomeloze woede bevatte, maar Owen zag dat hij helemaal kapot was.

'Praat niet tegen me,' siste Rhys terwijl de lift martelend langzaam naar beneden ging. Eindelijk waren ze in de lobby.

Kelsey en Owen liepen haastig het Delancey uit, de drukkende warmte in. Hoewel het eind september was, voelde de avond alsof het zomer was. Als de eerste keer dat ze elkaar ontmoet hadden.

'Is het goed met je?' vroeg Kelsey. Owen knikte. Het deed

niet zo verschrikkelijk veel pijn. Wat pijn deed was de herinnering aan de uitdrukking op Rhys' gezicht. Owen deed zijn ogen dicht om het beeld uit te wissen en inhaleerde de vage geur van appels.

'Het is niets, maak je geen zorgen.' Owen tikte voorzichtig tegen zijn neus. Tot zijn verbazing voelde het goed.

'Denk je – misschien – moet je meekomen naar mijn huis om er zeker van te zijn dat alles in orde is?' zei Kelsey ongerust. Ze zag er zo lief en bezorgd en verlegen uit dat Owen haar alleen maar dicht tegen zich aan wilde trekken. Hij keek in de lege straat om zich heen en plotseling realiseerde hij zich dat hij het kon doen. Ze hoefden niets meer geheim te houden. Kelsey – Kat – stond voor hem. Ze hoefden zich niet te verstoppen.

'Goed,' zei Owen.

Kelsey begon te glimlachen en stopte er net zo snel weer mee. 'Beloof me dat we geen slechte mensen zijn?' Ze keek hem smekend aan.

Owen schudde zijn hoofd. 'Nee, we zijn gewoon... bestemd voor elkaar,' eindigde hij sloom. Aan de andere kant van de straat klonk een alarm. De afgelopen tien minuten hadden meer emotioneel drama bevat dan hij in zijn hele leven had meegemaakt, en hij wist eerlijk gezegd niet wat hij nu moest doen.

Maar Kelsey wel.

'Laten we gaan,' commandeerde ze en ze pakte zijn hand en kneep er haastig in. Owen reageerde bijna instinctief. Hij trok haar naar zich toe en het kon hem niets schelen dat ze midden op straat stonden. Op dit moment, kussend op de stoep, met het bloed uit zijn neus druppelend, voelde hij zich gewoon góéd.

Liefde is inderdaad de beste pijnstiller.

Rhys stond alleen in de lift en drukte hard op de knop om naar boven te gaan. Hij was een idioot geweest om voor vannacht een suite voor Kelsey en hem te reserveren. Hij schudde verdoofd zijn hoofd. Pas toen de liftdeuren dichtgleden stroomden er meer tranen langs zijn wangen.

Hij liep de met roze bloemblaadjes bestrooide suite in, keek uit over Manhattan en probeerde het allemaal te begrijpen. Was Owen de hele tijd de ander geweest? Had Owen hem al die tijd gebruikt als een stomme, goedgelovige sul? Hij stond voor schut, en dat was helemaal niet grappig.

Rhys trok de folie van de Veuve die stond te koelen en liet de kurk ploppen. Hij knalde tegen de witte muur, en stroompjes champagne druppelden langs het oranje etiket van de fles. Ze liepen op het smetteloos witte ganzendonzen dekbed. Hij lachte verbitterd. Hij was een stommeling geweest. Te veel vertrouwen, te naïef. Maar dat zou allemaal anders worden.

26

Omhoog, omhoog en weg

De auto van de Cashmans zette Baby af bij haar complex aan Seventy-second en Fifth. Ze haastte zich door de hal, ging met de lift naar boven en rende naar hun donkere penthouse. Zodra de deur dichtviel trok ze haar jurk uit en liet hem in een hoop op de gelakte vloer vallen. Rothko liep er meteen naartoe en klauwde er achterdochtig naar. Baby voelde een kleine golf van schuldgevoel bij het idee dat ze er gewoon vandoor ging. Maar ze schudde het van zich af. Ze ging naar Barcelona!

Ze rende naar haar moeders studio, die op dit moment was gevuld met doeken die waren beschilderd met het cijfer 8 in allerlei verschillende kleuren, vormen en maten. Ze deed een gehavende archiefkast open die alle belangrijke papieren van de Carlyles bevatte en haalde haar nauwelijks gebruikte paspoort eruit. Ze deed haar haar in een slordige knot, trok een Citizen-spijkerbroek van Avery aan, die ongeveer twee maten te groot en vijftien centimeter te lang was, en trok een oud marineblauw capuchonsweatshirt aan waarop SNUG HARBOR stond, met een foto van een glimlachende walvis op de achterkant. Ze stopte haar portemonnee, een exemplaar van *The Unbearable Lightness of Being*, en een schetsboek in een legergroene postbodetas die perfect leek voor een avontuur, nam de lift naar beneden en liep de deur weer uit.

Kan ik een taxi bestellen, miss?' vroeg de portier terwijl hij aan zijn pet tikte.

Baby knikte enthousiast. Ze kon niet geloven dat ze in minder dan twaalf uur op een heel andere plek zou zijn. Plotseling huiverde ze ondanks de verbazingwekkend zachte eindseptemberlucht. Moest ze een jas meenemen? Hoe was het weer in Barcelona trouwens? Wie kon het wat schelen? Ze kon altijd een jas kopen.

Of tegen J.P. aankruipen?

Op het moment dat ze de gele deur van de taxi dichtgooide, ging haar mobieltje. Ze haalde het uit haar zak. GA NAAR 12TH AVE. EN 48TH ST. X J.P. Vreemd. Waarom gingen ze helemaal naar West Side? Misschien was dat een kortere route om naar Kennedy te komen of zo.

Terwijl de taxi door het spookachtig uitziende park naar de andere kant van de stad reed vroeg Baby zich af of ze zich schuldig moest voelen. Tenslotte was ze niet officieel klaar met haar Constance-vrijwilligerswerk, en Sydney en zij moesten de lay-out voor de *Rancune*-modereportage nog uitwerken, om maar niet te spreken van het bij elkaar zoeken van alle kledingmonsters die ze hadden geleend. Maar terwijl de taxi naar het zuidwesten voortraasde, duwde Baby die gedachten snel weg. Ze had zich al heel lang niet zo opgewonden gevoeld. Misschien kon ze deze ervaring gebruiken voor een ander artikel voor *Rancune*, waarin ze de Constance-meisjes leerden om te leven zonder marineblauwe uniformen, tonijn met sesamkorst en de wodka-cocktails.

'We zijn er.' De taxichauffeur stopte op een parkeerplaats naast de Hudson Rivier.

'Mooi.' Baby stapte uit de taxi en gaf de chauffeur een briefje van twintig. WAAR MOET IK PRECIES NAARTOE? sms'te ze. Op dat moment ging haar telefoon.

BEN JE ER? vroeg J.P. opgewonden.

Baby keek om zich heen. JA, MAAR IK ZIE ALLEEN HELIKOPTERS EN ZO.

GOED, WE STAAN RECHT TEGENOVER FORTY-NINTH STREET – ER IS EEN PAD, LOOP DAAR GEWOON OVERHEEN.

'O.' Baby keek op en kon niet geloven dat ze de gouden glans van de verstrengelde C's op een witte helikopter niet had gezien. Ze liep er snel naartoe, haar handen in haar zakken geduwd.

'Daar ben je!' J.P. sloeg zijn armen om haar heen in een onstuimige omhelzing. 'Ik heb het mijn vader verteld – hij is zo opgewonden voor ons. Hij heeft de details met onze piloot geregeld, en we komen daar morgenochtend aan, ongeveer elf uur hun tijd, en ik heb een kamer in het Ritz geboekt.' J.P.'s gezicht straalde van opwinding.

Een privéjet? Het Ritz? Baby schopte gefrustreerd naar een steentje op het asfaltpad. Het klonk allemaal perfect – voor een meisje zoals Avery of Jack. Voor Baby was het helemaal fout. Ze wílde geen vijfsterrenhotel of privévliegtuig. Het was de bedoeling om uit New York City te vertrekken en de wereld te beleven – niet precies hetzelfde ding in een ander land te doen. J.P. droeg zijn pak nog steeds. Hij zag er razend knap uit en had een bezorgde rimpel op zijn voorhoofd. Baby beet tot haar lip verdoofd voelde. Hij snapte het gewoon niet.

'We zijn maandag weer terug. Of we kunnen ons allebei gewoon een dag ziek melden of zo,' legde J.P. uit. De zin bleef in de lucht hangen. Baby produceerde een klein glimlachje. Ze kon niet geloven dat J.P. dacht dat ze zich druk maakte om school. Hij was zo'n goede jongen. Ze voelde zich de allerslechtste persoon ter wereld om wat ze nu ging doen.

'Ik denk niet... ik denk niet dat dit gaat werken.' Baby keek naar de grond en zag de ultraglimmende schoenen van de piloot, die anderhalve meter bij ze vandaan stond en net deed alsof hij niet luisterde.

'Het is gewoon... we zijn te verschillend,' legde Baby uit. 'Jij wilt in jets vliegen, ik wil gewoon vliegen.' Baby glimlachte toen ze dacht aan de dag dat ze elkaar hadden ontmoet. Een van J.P.'s onopgevoede puppy's was ontsnapt en ze was er op blote voeten door de straat achteraan gerend, waarna hij haar had gehuurd om ze uit te laten. 'Je hebt iemand nodig die waardeert hoe geweldig je bent.'

'Ik vind jóú geweldig,' zei J.P.

'Ik jou ook,' antwoordde Baby oprecht. Het was echt waar. Ze beet op haar lip en praatte daarna met een stortvloed aan woorden verder. 'Je hebt me aan de stad voorgesteld. Je hebt me laten zien dat het leuk kan zijn. Nu moet ik daar zelf achter komen.' Ze haalde haar schouders op en glimlachte verdrietig naar hem. Het was vreemd. Hun breuk voelde zo natuurlijk. En als ze keek naar J.P.'s weemoedige maar berustende gezichtsuitdrukking voelde hij hetzelfde. Ze kon niet geloven dat ze een jongen opgaf voor wie elk ander meisje in Manhattan een móórd zou doen. En ze kon het opborrelende gevoel van vrijheid dat ze in haar maag voelde niet geloven.

'Kan ik in elk geval een taxi voor je regelen, juffrouw Onafhankelijkheid?' plaagde J.P. haar goedmoedig.

'Dat zou fijn zijn,' zei Baby instemmend. Het was soms prettig als er voor je werd gezorgd. J.P. riep een taxi voor haar en ze omhelsden elkaar. 'Bel je me als je honden uitgelaten moeten worden?' vroeg Baby kwajongensachtig. Er rolde een traan uit haar ooghoek en ze lachte aarzelend. Ze wist niet waarom het zo veel pijn deed. Het was net als toen ze naar huis was gegaan, naar Nantucket, en had gemerkt dat het niet meer hetzelfde voelde. J.P. veegde de traan weg terwijl de taxi remde.

'Vrienden?' J.P. trok haar dicht tegen zich aan en gaf een kus boven op haar hoofd.

'Altijd.' Baby gaf hem een oprechte glimlach terwijl ze met haar handen naar haar nek ging en het LOVE-kettinkje losmaakte. 'Dank je.'

J.P. knikte en hield het portier van de taxi voor haar open. Baby stapte in en kneep nog een laatste keer in zijn hand.

Het portier sloeg dicht en Baby liet zich op de achterbank vallen. De taxichauffeur met dreadlocks zette de reggaemuziek die uit de boxen galmde zachter. Hij staarde naar Baby, die haar paspoort nog steeds in haar tengere hand geklemd hield.

'Het vliegveld?' vroeg hij terwijl hij doordringend naar haar paspoort staarde.

Baby keek uit het taxiraam. Het was gaan regenen, en de kleine druppels die tegen het raam tikten zorgden ervoor dat alles nog meer fonkelde. Een paar honderd meter verderop zag ze de snel stromende Hudson. Hoewel ze wist dat het land aan de andere kant gewoon New Jersey was, leek het vanaf hier mooi en mysterieus en vol verrassingen. En ze had een beetje verrassing nodig. Ze zag de taxichauffeur kijken en knikte terwijl er een kleine glimlach rond haar mond speelde.

Goede reis?

Jongens zijn niet alles

Avery werd op zondagochtend nuchter en alleen in haar slaapkamer wakker. Ze keek naar de klok op haar commode. Elf uur. In een ander, allergeenvrij universum, zou ze nu douchen en zich klaarmaken voor een romantische brunch, gevolgd door een wandeling door het Met, samen met Tristan. Maar helaas, in haar slecht functionerende wereld had ze eigenlijk geen reden om wakker te worden. Ze zuchtte en trok haar kussen over haar hoofd, vastbesloten om de wereld zo lang mogelijk buiten te sluiten.

Op dat moment ging haar mobieltje op haar nachtkastje.

'Hallo?' zei ze mat. Ze had er geen idee van wie het kon zijn. Mischien moest ze gewoon het zinkende schip verlaten en feministe worden, vijftig katten adopteren en moeilijk te begrijpen verhandelingen over de mannelijke blik schrijven.

'Avery, liefje, ik hoop dat ik niet te vroeg bel,' klonk de krakende stem van Muffy St. Clair.

'Natuurlijk niet.' Avery ging zitten, onderdrukte een zucht en duwde haar haar achter haar oren.

'Luister, ik ontmoet een paar dames in L'Absinthe voor een brunch en ik denk dat één van hen er héél geïnteresseerd in is om jou te moeten.' Ze klonk alsof ze net een pakje Merits had leeggerookt. Mischien had ze dat ook.

'O.' Avery probeerde enthousiasme te veinzen. Ze kon niet wachten om haar zondagmiddag pratend over de klachtenbus op

Constance of iets wat net zo opwindend was door te brengen.

'Fantastisch. Is twaalf uur goed, liefje?' Muffy hing snel op en gaf haar niet veel keus. Maar in elk geval had ze niets gevraagd over het liefdadigheidsbal van gisteravond, dus hoefde Avery niet te liegen over Muffy's niezende mislukking van een kleinzoon. Avery rolde uit bed, deed geen moeite om te douchen en trok een eenvoudig, lilakleurig, nauwaansluitend Tory Burch-jurkje aan. Ze vroeg zich af of Baby vannacht de moeite had genomen om thuis te komen, of dat ze de nacht had doorgebracht met J.P. Niet dat ze jaloers was of zo.

Helemaal niet.

'Dag!' riep Avery in de hal voor het geval íémand van haar familie de moeite had genomen om thuis te komen. Toen ze geen reactie kreeg, greep ze haar Louis Vuitton Speedy-tas en gooide de deur extra hard achter zich dicht. Ze was zó niet in de stemming. Ze nam de lift naar beneden en liep in de hal een wazig kijkende Owen tegen het lijf. Een zwart-blauwe vlek verspreidde zich van zijn neus tot het gebied onder zijn ogen. Wat was dat?

'O mijn god! Heeft Jack dat gedaan?' vroeg Avery verontwaardigd. Zijn hele gezicht leek gezwollen en pijnlijk.

'Nee.' Owen schudde zijn hoofd. 'Lang verhaal. Lang, ingewikkeld verhaal,' zei hij raadselachtig. 'Met een min of meer een gelukkige afloop.' De gepijnigde uitdrukking op zijn gezicht veranderde meteen in een uitdrukking van geluk. Maar een andere golf van emotie overspoelde hem en ze zag spijt. Avery keek nieuwsgierig naar hem.

En dan denken ze dat meisjes moeilijk te begrijpen zijn?

'Is alles goed met je?' vroeg ze opnieuw. Waarom deed Owen zo vreemd? 'En waar ben je vannacht geweest? Kom je net thuis?'

'Lang verhaal,' herhaalde Owen, zijn stem gedempt door de verwonding. Avery keek in tweestrijd op haar Rolex. Ze wilde horen wat het blauwe oog allemaal te betekenen had, maar ze was al laat.

'Luister, ik vertel het je later allemaal. Ik moet me opknappen voordat mama me ziet,' legde hij uit.

'Goed, maar wij gaan met elkaar praten. Ik moet nu naar een brunch, maar om drie uur praten we. Zorg dat je er bent,' commandeerde Avery.

Ze stapte naar buiten en liep via Fifth naar Sixty-seventh Street. Ze liep het café in en keek uit naar haar vertrouwde groep platinablonde dames.

'Avery!' hoorde ze een dunne stem roepen. De knokige hand van Muffy St. Clair gebaarde haar naar een hoektafel. Ze veinsde haar beste glimlach en liep naar haar toe.

'Avery, liefje.' Muffy stond op en kuste haar op beide wangen. Avery vocht tegen de neiging om de lippenstiftvlekken waarvan ze zeker wist dat Muffy ze had achtergelaten, weg te vegen. Ze keek naar de slanke vrouw die aan Muffy's tafeltje zat. Ze droeg zes Chanel-kettingceinturen over een zwarte Yves Saint Laurent-jurk, haar hennagekleurde rode haar was tot tien centimeter boven haar hoofd getoupeerd, boven de V-vormige haarlok die tot het midden van haar voorhoofd kwam. Dit is Ticky Bensimmon-Heart,' introduceerde Muffy. 'Ik heb haar over je verteld, en ze wilde je heel graag zien.'

'Tot nu toe ben ik niet teleurgesteld.' Ticky knikte waarderend terwijl ze haar glas mimosa leegdronk. Avery voelde dat haar hart een slag oversloeg. Ticky Bensimmon-Heart, de uitgever van *Metropolitan*, was onder de indruk van haar!

'Fijn u te ontmoeten!' Avery stak haar hand uit en hoopte dat ze niet te enthousiast klonk.

'Ga zitten,' beval Ticky terwijl ze naar een lege stoel gebaarde. Ongeduldig zwaaide ze de rondhangende ober weg. 'Ik zorg ervoor dat ik overdag niet eet,' legde Ticky uit.

'Tickyrexia,' vertelde Muffy aan Avery. 'Dat doet ze al sinds, wanneer was het, de inauguratie van Kennedy? Maar schat, we willen over jóú horen. En over Tristan.' Muffy ging verwachtingsvol achterover zitten terwijl ze haar glas mimosa leegdronk.

'Eh...' Avery zweeg terwijl ze naar de twee vrouwen keek. Moest ze liegen?

'Wat ben jij een bitch!' Ticky lachte een luide, hese lach, terwijl ze haar hoofd naar Muffy schudde. Muffy gooide haar hoofd achterover en deed mee.

'Eh, hij was erg...' begon Avery wanhopig.

'Laat me raden! Tristan had een van zijn aanvallen. Typisch!' Ticky grinnikte. 'Muffy, waarom heb je dat ons meisje aangedaan?'

Muffy lachte berouwvol. Nieuwsgierige klanten draaiden zich om en staarden.

'Het spijt me zo,' zei ze terwijl ze een lachtraan uit haar gerimpelde ooghoek veegde. 'Ik dacht dat hij eroverheen was gegroeid.'

'Je wíst het?' vroeg Avery scherp. *Dat je me hebt gekoppeld aan meneer Wandelende Allergie?* wilde ze eraan toevoegen. In plaats daarvan nam ze een flinke slok water. Wilde iederéén haar gewoon in de belachelijkste situaties zien te krijgen? Ze bedacht wat er zou gebeuren als ze gewoon het restaurant uit zou lopen, weg van Muffy en de vernederende studentenlid-positie. Laat Constance maar lelijke nachtblauwe uniformen krijgen. Ze was er zó klaar mee.

'O, liefje, ik bedoelde het niet verkeerd.' Muffy zag Avery's donker wordende gezichtsuitdrukking. 'Echt, ik heb je een gunst bewezen. Ik had je niet kunnen laten uitgaan met Esthers kleinzoon. Hij is een verschrikkelijke klootzak.' Muffy haalde haar schouders op en giechelde weer. Zij en Ticky begonnen weer samen te lachen. Ze klonken een beetje als de heksen uit *Macbeth*.

'Luister, ik moet ervandoor,' zei Avery kordaat, terwijl ze

beleefd probeerde te klinken. Ze had véél betere dingen te doen dan belachelijk te worden gemaakt door twee dronken oude vrouwen.

'Laat ons niet alleen!' riep Ticky, die duidelijk teleurgesteld was. 'Beschouw het als je inwijding. Ik vind je echt fantastisch —proost!' Ze pakte haar mimosaglas op en glimlachte. 'Wat denk je ervan om stage bij *Metropolitan* te lopen?

Avery keek naar haar. Echt? *Metropolitan* was het coolste, meest gedistingeerde tijdschrift *ever*. Stageplekken waren belachelijk moeilijk te krijgen. Meende Ticky het serieus?

'Je begint maandag,' commandeerde Ticky. Avery keek van de ene vrouw naar de andere. Ze wilde ze op dit moment absoluut omhelzen, als ze niet bang was dat ze iets zou breken. In plaats daarvan gebaarde ze naar de ober. Ze hadden iets te vieren.

28

Je oogst wat je zaait

Jack liep op zondagochtend door Fifth. Ze had geen duidelijk doel; ze wilde gewoon lopen en nadenken. Ze voelde zich nog steeds gegriefd over wat er gisteravond was gebeurd, hoewel Owen natuurlijk nooit écht haar vriendje was geweest. Ze sloeg haar armen rond haar middel. Het weer werd kouder en plotseling voelde ze zich alleen.

Ze bleef staan voor het Cashman Complex en keek naar de verstrengelde C's. Het was alsof ze hiernaartoe was gezogen. Ze voelde een knoop in haar maag. Ze miste haar oude leventje.

'Hallo, schoonheid.' J.P.'s stem verbaasde haar en ze draaide zich om. Hij had haar altijd op die manier begroet. En zíj kleedde zich altijd piekfijn voordat ze hem zag. Vandaag droeg ze een oude zwarte Citizen-skinny jeans, grijze, suède Miu Miu-laarzen en een oud, oversized Theory-sweatshirt. Bovendien had ze geen make-up op, en het kon haar niet eens schelen.

'Dat hoef je niet te zeggen,' zei Jack kortaf. 'Ik liep gewoon langs,' voegde ze er slap aan toe, zodat ze niet helemaal op een stalker leek.

'Het is fijn om je te zien,' zei J.P. Een van zijn mopshonden snoof nieuwsgierig aan haar enkel. Ze had zijn honden altijd ranzig gevonden, maar deze leek best schattig. In elk geval was ze vriendelijk. Ze bukte zich en aaide het harige donkere hoofd voorzichtig.

'Ik laat de honden uit,' zei J.P., alsof dat niet duidelijk was.

'Ik zie het.' Jack deed een stap naar achteren. Een week geleden had ze J.P. heel hard willen schoppen, maar nu hij hier voor haar stond, met zijn gebalde handen in de zakken van zijn slome kakibroek, zag hij er niet uit als de gemene levensverwoester die ze zich had voorgesteld.

'Wil je mee?' flapte J.P. eruit. Hij bloosde.

Jack keek hem argwanend aan. 'Waarom? Waar is je vriendin?' Ze kromp in elkaar toen ze het had gezegd, maar ze kon het niet helpen. Háár leven was vreselijk, dat van hem niet. Haar namaakvriend was vreemdgegaan en had haar gedumpt. Het kon echt niet erger worden dan dat, zelfs niet in dat stomme Franse televisieprogramma waarin haar moeder de hoofdrol zou spelen.

'Ze heeft me gedumpt. En jouw vriend?' pareerde J.P.

'Dat is niets geworden.' Ze haalde haar schouders op en probeerde niet te glimlachen. Had Baby Carlyle J.P. gedumpt? Dat was een draai die ze niet had zien aankomen. 'Kom, geef me een riem,' commandeerde ze terwijl ze naar de Louis Vuitton-riem greep die vastzat aan de kleinste, minst ranzige mopshond. Ze liep snel het park in. De lucht rook naar herfst: met honing geroosterde pinda's en bladeren. Dingen veranderden.

'Trouwens, ik heb gehoord wat er met je vader is gebeurd... Waarom heb je het me niet verteld?' J.P. raakte Jacks arm aan. Ze voelde een elektrische schok door haar lichaam gaan en keek in zijn vriendelijke bruine ogen.

'Ik was... ik was gewoon zo pissig.' Jack zuchtte boos. 'Ik kan gewoon niet omgaan met de shit van andere mensen, snap je?' Het was niet haar bedoeling om zo hysterisch te klinken, maar ze deed het toch. Een beetje. Ze haalde diep adem en haalde haar schouders op. 'Het maakt niet meer uit.'

'Ja, dat doet het wel,' zei J.P. afkeurend. 'Je had het me moeten vertellen.'

Ze liepen samen over het kronkelende pad van het park, dat

vol was met hondenuitlaters, sporters en gezinnen die genoten van de tintelende vroegeherfstlucht. 'Ik heb je gemist, Jack,' zei J.P. eenvoudig. Jack knikte. Ze had een bloedhekel aan sentimentele gesprekken. Ze draaide zich zwijgend naar J.P. om en kuste hem. Hij smaakte hetzelfde, naar hoesttabletten. Nemo blafte waarderend.

Alles in Jacks lichaam smolt. Na alle pijn en verdriet, na al het samenzweren en chanteren, had ze gekregen wat ze wilde. Ze kuste J.P. vurig en wachtte op de vertrouwde klik – perfectie – het moment waarop ze zou weten dat alles net zo was als het altijd was geweest.

Toen ze elkaar loslieten, voelde Jack dat haar ogen instinctief naar het oosten werden getrokken, naar een zeker penthouse aan Fifth Avenue. Ze kon er niets aan doen dat ze zich afvroeg wat Owen deed, en met wie hij was.

Hoe meer de dingen hetzelfde blijven, des te meer veranderen ze.

gossipgirl.net

Disclaimer: alle namen van plaatsen, mensen en gelegenheden zijn veranderd of afgekort om de onschuldigen te beschermen. Mij, vooral.

Topics | Gezien | Jullie e-mail | Stel een vraag

Ha mensen!

Goedemorgen, feestgangers!

Ten eerste een vraagje: hoeveel van jullie hebben vannacht in jullie eigen bed geslapen? En als je dat hebt gedaan: hoeveel van jullie hebben alléén geslapen? Steek jullie handen maar in de lucht! En voor degenen die hebben meegedaan aan het bieden op het St. Jude-zwemteam – alle liefdadigheid buiten beschouwing gelaten – was het het waard?

En nu, voor degenen die een te erge kater hebben om iets anders te doen dan kaneelrozijntoast eten en zwarte thee drinken die je huishoudster zo zorgzaam heeft gebracht, volgt hieronder het nieuws dat jullie hebben gemist:

Is de kameraadschap over?

Rennen langs de rivier, lange gesprekken boven patat in 3 Guys, drank delen in Sheep Meadow... Angelina en Brad? Niet helemaal. Het was ons favoriete zwemteamstel. Nu lijkt het er echter op dat er meer dan ruzie is tussen **R** en **O** – een bloedneus namelijk. Gelukkig lijkt **K** een prima verpleegster te zijn. En niet voor de vriend die jullie denken! Zij en **O** zijn vanochtend gezien in een eetcafé in Second, waar ze van een gezellige brunch genoten. **R** moest zichzelf zien te troosten met een ultra-exclusieve suite in het Delancey en een fles Veuve. Ik denk dat aan alle goede dingen een eind moet komen, maar ik geef toe dat ik hier verdrietig over ben!

Zakenontbijt

Wegwezen, Michael´s. Het lijkt erop dat L´Absinthe de nieuwe plek is voor mediale zakengesprekken. Daar leek het in elk geval vanochtend op, toen **A** een heel serieus gesprek had met niemand minder dan Ticky Bensimmon-Heart. Gelukkig nieste er niemand. Wat is de volgende stap voor **A**: een verovering in de genadeloze wereld van de tijdschriften? Ze heeft er beslist het lef voor... en we weten allemaal dat ambitie het belangrijkste accessoire is.

Zondagen in het park

Vanochtend leek het erop dat de liefde weer opbloeide in Central Park. **J** en **J.P.** zijn weer bij elkaar en, afgaand op voorbijgangers, is het beter dan ooit tussen ze. Betekent de hereniging van de koning en koningin van Upper East Side dat **J**´s ongeluk verbroken is? Wacht, ik gooi nog een ijzer in het vuur: na lang wikken en wegen maakt de School of American Ballet vandaag blijkbaar bekend wie er een beurs krijgen. Dit kan het begin van het eind zijn voor **J**, of een serieuze come-back. Lang leve de koningin?

Het laatst vertrokken

De grillig romantische **B**, gezien in een wachtrij op JFK. Ze had een tandenborstel en een paspoort vast en droeg de afdankertjes van haar zusje... en een brede glimlach. Waar gaat ze naartoe? Ook gespot, een zeker Spaans feestbeest dat het laatst is gezien tijdens het stappen in Barcelona. Waarschijnlijk toeval.

Je vraagt je natuurlijk af wat dit allemaal te betekenen heeft. Het betekent dat ik iedereen heel nauwkeurig in de gaten hou. Waarom? Omdat iemand dat moet doen. Het leven verandert elk moment. Op het moment dat je vertrouwt op je MAC-lipgloss, je Starbucks-*venti half-caf* en je BlackBerry Pearl om je zelfs door de zwaarste dagen te slepen, kun je op mij vertrouwen om je te vertellen wat je moet weten. Dat beloof ik.

Je weet dat je van me houdt,

gossip girl

Eerder verschenen in de *Gossip Girl*-serie

Blair Waldorf en Serena van der Woodsen waren de heersende prinsessen van de Upper East Side. Maar daar komt nu verandering in!
Wanneer de familie Waldorf gaat verhuizen, trekt de zestienjarige drieling Owen, Baby en Avery Carlyle in hun appartement. De drie staan garant voor de sappigste verhalen – en gelukkig is Gossip Girl erbij om alle geheimen door te vertellen...

ISBN 978 90 8990 096 8

Genoten van *Gossip Girl*?
Dan mag je ook *De* it-*girl* niet missen!

#1 Schaamteloos

Jenny Humphrey verruilt haar oude school voor Waverly Academy, een elitaire kostschool in New York. Een fantastische kans om opnieuw te beginnen en iemand te worden die niet voortdurend in de problemen raakt of genante fouten maakt.

#2 Goddelijk

Jenny Humphrey is pas een week op school, en is nu al betrapt met het vriendje van haar kamergenoot (in bed!), heeft voor de ogen van de hele school een stripshow gegeven, en is tot overmaat van ramp op het matje geroepen door de schoolleiding.

#3 Onweerstaanbaar

Al sinds Jenny aankwam op Waverly Academy roddelt iedereen over haar – en over haar lichaam! Ze had al snel een oogje op de drie leukste jongens van de campus, en lag in bed met de onweerstaanbare Easy, het vriendje van haar kamergenote Callie. Jenny maakt er wel een heel grote puinhoop van.

#4 Verrukkelijk

Jenny en haar kamergenoten sluiten zich aan bij een nieuwe club: Vrouwen van Waverly. Opeens gaan de meiden heel hecht met elkaar om, en delen ze hun grootste geheimen. Of blijven er toch dingen die de meiden niet aan elkaar vertellen?

#5 Geliefd

De populaire Jenny Humphrey houdt de gemoederen flink bezig. Kan Jenny zich meten met haar kamergenoten Callie en Brett, en vooral met de beruchte Tinsley Carmichael?

#6 Lekker

Het regent non-stop op Waverly Academy, maar voor Jenny Humphrey is de wereld een en al zonneschijn. Er zijn twee weken voorbijgegaan sinds ze bijna van school werd gestuurd, en sindsdien is ze de nieuwe it-girl.

#7 Verleidelijk

Easy Walsh is voorgoed van Waverly verwijderd, en Callie heeft het moeilijk zonder haar geliefde. Jenny en Tinsley hebben een plan om haar uit de put te krijgen: een uitstapje naar New York met Thanksgiving. Rust, ontspanning, verwennerij... en natuurlijk een heleboel problemen!

#8 Aanbiddelijk

Iedereen op Waverly heeft het druk met de voorbereidingen voor het jaarlijkse kerstfeest met pakjesavond. Maar het lijkt wel of de hele school zich aan het misdragen is! Het enige wat Brett wil is een rustige Kerstmis – en een kus van een zeker iemand onder de mistletoe.